Costura

Una guía paso a paso para aprender costura a mano y a máquina

Charlotte Gerlings

Grupo Editorial Tomo, S.A. de C.V.,
Nicolás San Juan 1043,
03100, México, D.F.

1a. edición, abril 2013.

Sewing
Charlotte Gerlings
Copyright © 2011 Arcturus Publishing Limited
26/27 Bickels Yard, 151-153 Bermondsey Street,
London SE1 3HA

© 2013, Grupo Editorial Tomo, S.A. de C.V.
Nicolás San Juan 1043, Col. Del Valle
03100 México, D.F.
Tels. 5575-6615, 5575-8701 y 5575-0186
Fax. 5575-6695
http://www.grupotomo.com.mx
ISBN-13: 978-607-415-492-4
Miembro de la Cámara Nacional
de la Industria Editorial No. 2961

Traducción: Graciela Frisbie
Diseño de portada: Karla Silva
Formación Tipográfica: Armando Hernández R.
Supervisor de producción: Leonardo Figueroa

Este libro se publicó conforme al contrato establecido entre
Arcturus Publishing Limited y *Grupo Editorial Tomo, S.A. de C.V.*

Impreso en México - *Printed in Mexico*

CONTENIDO

INTRODUCCIÓN

Las primeras agujas se hicieron con huesos de animales y se usaron para coser pieles con nervios o tendones. Entre esa época y nuestros días, la gente ha cosido ropa para mantenerse caliente, ha hecho tiendas de campaña para resguardarse, velas de barco para viajar y explorar, y banderas para las naciones. Podría decirse que una aguja e hilo en manos expertas han jugado un papel tan importante en la civilización como el hecho de que el hombre inventara la rueda.

Sin embargo, como objetos cotidianos en nuestra casa, las agujas y el hilo sólo son cosas que ocupan un lugar, hasta que descubrimos su potencial (y el nuestro) y dominamos las técnicas básicas de la costura. Para ayudarte, aquí presentamos una guía ilustrada, paso a paso, que empieza con la forma de ensartar una aguja y te enseña las puntadas básicas, te enseña a cortar y dar forma a las telas, y a usar la máquina de coser. Ya sea que estés comenzando a coser o que quieras repasar lo que ya sabes, este libro podría ser una referencia útil.

Se incluyen secciones sobre todo tipo de equipo, hilos, telas y adornos; cómo entender los patrones de papel y qué se necesita para confeccionar una prenda. Toda una sección se concentra en la máquina de coser, lo que es especialmente útil hoy en día, pues cada vez son más las familias que desean invertir en una. Otras secciones tratan temas de menor magnitud, pero también importantes, como hacer reparaciones, usar un medidor de puntadas (una reglita que tiene un marcador ajustable para que una bastilla o costura quede pareja cuando se sujeta con alfileres o se cose) o colocar un zíper. Finalmente, se presentan tres proyectos fáciles para que practiques tus destrezas en la costura, antes de iniciar otros proyectos más ambiciosos en los que quieras involucrarte.

EQUIPO

A Agujas, alfileres, alfileteros
B Tela y carretes de hilo
C Dedal
D Descosedor
E Tijeras de costura
F Tijeras
G Tijeras de bordado
H Tijeras para hilo
I Tijeras dentadas
J Medidor de puntadas
K Regla transparente
L Cinta métrica de fibra de vidrio
M Gis (tiza) de modista
N Cera de abeja
O Plancha
P Tabla para mangas
Q Base para mangas y almohadilla firme y curva para planchar áreas curvas y contornos
R Máquina de coser

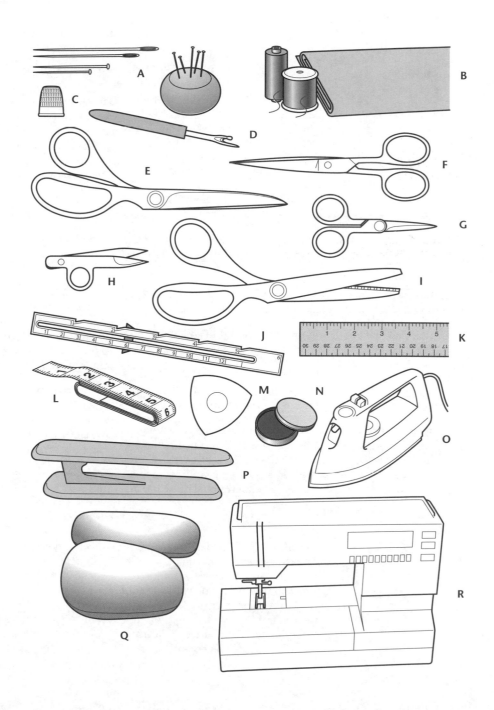

AGUJAS, ALFILERES E INSTRUMENTOS PARA CORTAR

Las agujas para coser a mano se fabrican en una gran variedad de tamaños y grosores; sus números se relacionan con sus características. Decide cuál podría ser la mejor aguja para la tarea que vas a emprender, con la ayuda de la siguiente lista básica:

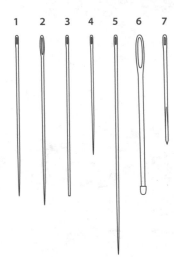

1 2 3 4 5 6 7

1 Agujas con buena punta – de largo mediano y buena punta, el ojo es redondo y se utilizan para coser con hilo estándar de algodón o de poliéster.

2 Agujas para crewel o bordado – es una aguja de buena punta como las número 1, pero el ojo es largo y de forma oval, como el de las agujas de tapicería; se usa con hilos más gruesos y para coser con varios hilos.

3 Agujas de punta roma – se usan para coser materiales tejidos; están diseñadas para no romper el estambre.

4 Agujas intermedias – son muy cortas y afiladas; su ojo es pequeño y redondo. Se usan para puntadas finas y para telas acolchadas.

5 Agujas para sombreros – son muy largas y delgadas, de ojo redondo; se usan para trabajo decorativo y adornos.

6 Agujas para jareta – Son grandes, de punta roma, con un ojo muy grande para coser cordeles, elástico o listón y pretinas.

7 Agujas para guantes o piel – con filo, su punta tiene tres lados para penetrar la piel y el PVC sin rompimiento.

La mayoría de las agujas están recubiertas de níquel, aunque su calidad varía. Las agujas recubiertas de oro o platino no se decoloran ni se oxidan, pero obviamente son más caras. Consigue un alfiletero de esmeril; la arena que contiene actúa como abrasivo y pule las agujas y los alfileres cuando se introducen en él.

Instrumentos para cortar (ver la página 5)

Invierte en las tijeras de más alta calidad que puedas conseguir y no permitas que nadie, incluyéndote a ti, las haga perder su filo cortando con ellas papel, tarjetas, cordones o cinta con pegamento. Busca tijeras que tengan un tornillo ajustable y no un remache y llévalas a afilar con un profesional de vez en cuando. En Internet pueden conseguirse tijeras para personas zurdas.

Tijeras para modistas y sastres – tienen mangos simétricos y hojas largas que cortan las telas con facilidad en un ángulo bajo sobre una superficie plana. Las tijeras de acero cromadas son las más durables, pero son relativamente pesadas. Hay versiones más ligeras de acero inoxidable con mangos de plástico de colores.

Tijeras dentadas – hacen un corte en zigzag, lo que da a la tela un acabado y evita que sea necesario hacer una costura.

Tijeras para coser – están equipadas con hojas de 15 centímetros, que es el tamaño más útil para tu trabajo. Los ojos (o dedales) para el pulgar y el índice son del mismo tamaño y se usan para cortar las costuras o darles un mejor acabado.

Tijeras para bordar – las usan las personas que bordan, y también para hacer cortes de precisión en otras artesanías relacionadas con la costura, como la tapicería y el trabajo con telas acolchadas. Sus hojas miden de 3 a 10 centímetros y sus puntas tienen tanto filo que es mejor guardarlas en un estuche.

Tijeras para hilo – tienen hojas con resortes que se abren en forma automática, lo que hace que sean prácticas y convenientes, y además son muy precisas. Son de acero y también se consiguen con un acabado de níquel, cromo o teflón. Sus hojas miden aproximadamente 11.5 centímetros.

Descosedor – como su nombre lo indica, es el instrumento ideal para abrir costuras y quitar las puntadas hechas con una máquina de coser. Debe usarse con cuidado porque podría cortar la tela cercana a la costura que uno quiere eliminar.

Los alfileres hechos de latón o acero templado no se oxidan; los más pequeños y más finos son ideales para las telas delicadas. Son más fáciles de ver y manejar los alfileres que tienen cabezas hechas de vidrio de color o de plástico. Ten a la mano un alfiletero grande y de base plana para tu trabajo general; también es útil tener un alfiletero pequeño como los que las modistas usan en la muñeca, cuando trabajes ajustando ropa o con accesorios.

HILO

Escoge el hilo adecuado para la tela que vas a coser, de modo que al coserla y lavarla las costuras no se frunzan o se encojan, y que las fibras no se rompan.

El hilo de seda (un producto animal) es el ideal para coser telas de lana y seda. El hilo de algodón es adecuado para el lino, el algodón y el rayón (que son fibras vegetales); tiende a "dar de sí", de modo que es mejor usarlo en telas de tejido apretado. Por el contrario, los hilos de nylon (poliamida) y de poliéster se estiran y se recuperan tan bien que son adecuados para coser telas sintéticas y tejidas; el poliéster también es adecuado para coser telas de lana. El hilo para botones es útil como hilo para uso rudo, al coser botones y artesanías.

En lo que concierne a los colores, si no puedes encontrar un hilo que vaya exactamente con la tela, elije un tono más oscuro; si estás cosiendo una tela a cuadros, como las telas escocesas, elije un hilo que combine con el color principal de la tela.

Los hilos para coser se hilan como el estambre que usamos para tejer; es decir, torciendo dos o más fibras; cuanto más apretado sea el torcido, más terso y fuerte será el hilo. Un torcido flojo produce un hilo más suave y ligero, como el hilo de algodón para hilvanar, que se rompe con más facilidad.

El torcido va de izquierda a derecha (torcido S) o de derecha a izquierda (torcido Z).

El hilo para coser, al igual que las telas y el estambre para tejer, puede ser natural o de fabricación humana, o una combinación de ambos. El hilo de algodón puro ha sido remplazado en gran medida por poliéster recubierto de algodón, en el que la fibra interna de poliéster proporciona fuerza y elasticidad y la capa exterior de algodón mercerizado hace que el hilo sea suave y sea fácil trabajar con él.

> Al algodón mercerizado se le aplica un acabado para fibras vegetales. Se sumergen en hidróxido de sodio (sosa cáustica) lo que hace que aumenten de tamaño, pierdan la torsión y se encojan a lo largo. Al secarse, estas fibras son más fuertes, más brillantes y más fáciles de teñir.

Podemos comprar hilos hermosos de uso especializado como los de seda pura, de lino e incluso de oro, que solían usarse hace trescientos o cuatrocientos años. Sin embargo, los procesos modernos de fabricación nos han dado el rayón o "seda artificial" (1910), el nylon (1935), el poliéster (1941) y la fibra metal de aluminio (1946), a un costo mucho más módico. Además, los ingenieros textiles siguen diseñando y poniendo a prueba nuevos tipos de hilos para un mercado que siempre está en desarrollo, por ejemplo, en el campo de la ropa de trabajo, la ropa deportiva y de descanso.

Aunque la mayoría de los hilos modernos toleran la acción de las lavadoras, secadoras y máquinas de planchar, debes recordar que algunos hilos de rayón pueden encogerse si se lavan con agua caliente, y que los hilos de nylon y los hilos metálicos se derriten al contacto directo con una plancha caliente.

Si coses mucho a mano y quieres trabajar con rapidez y sin obstáculos, pasa el hilo por un bloque de cera de abeja (pág. 5) para impedir que se enrede o se deshilache. El tratamiento con cera es eficaz en condiciones de humedad alta y elimina la electricidad estática en fibras de rayón o de productos sintéticos similares.

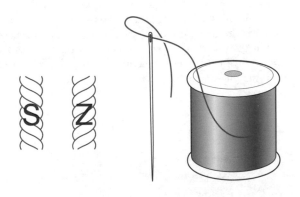

El hilo estándar para coser se hace con un torcido Z, lo que hace que sea compatible con el funcionamiento de las máquinas de coser que tienen punto cadena (pp. 10-11). El torcido también puede afectar la forma en que ensartas la aguja al coser a mano. Debes ensartarla usando el extremo libre del hilo como sale del carrete; así no sólo pasará por el ojo con más facilidad, sino que tampoco se enredará cuando estés cosiendo.

TELAS

Las telas se fabrican con fibras naturales o con fibras de fabricación humana, que a menudo se mezclan para combinar sus mejores cualidades. Por ejemplo, las telas de poliéster y algodón son tan cómodas como las de algodón puro, pero se arrugan menos; y el calor de un abrigo de lana se complementa con las propiedades de resistencia del nylon.

Telas tejidas

Existen tres tipos de tejido en el que se basan todas las telas tejidas: Simple, sarga o de ligamento cruzado, por ejemplo la sarga y el satín. Cada tipo de tela tiene diferentes propiedades. Si tienes planeado coser tu propia ropa, es una buena idea que comiences con un material firme y ligero, como el algodón de tejido simple.

1 **El tejido simple** es el tipo más sencillo; los hilos de la urdimbre (en vertical) pasan por encima y por debajo de cada uno de los hilos de la trama (en horizontal). La muselina, el percal (calicó) y la popelina son ejemplos de este tipo de tejido.

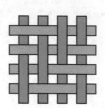

2 **La tela de ligamento cruzado o sarga** entrelaza los hilos de la urdimbre y la trama, pasando por dos o más hilos progresivamente. Esto produce un claro patrón diagonal en la superficie de telas resistentes como el dril, la gabardina o la mezclilla.

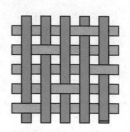

3 **El tejido de raso** presenta una superficie uniforme y compacta creada por trozos largos de urdimbre (por lo general de seda, algodón, acetato o rayón) que no permiten que la trama sea visible; lo inverso sería una tela mate. Si los trozos largos son de trama, la tela recibe el nombre de "satín". En ambos casos, la superficie brillante tiende a desgarrarse.

La fibra

La fibra de una tela es la dirección en que están colocados los hilos de la trama y de la urdimbre. La urdimbre es horizontal, paralela al orillo (extremo de una pieza de tela que suele tener distinto aspecto que el resto); éste es el *grano longitudinal*. La trama sigue el *grano transversal*, en ángulo recto al grano longitudinal. Verifica el grano antes de utilizar un patrón de papel (págs. 20-21). En las prendas de ropa, por lo general el grano va de los hombros hacia el dobladillo; en las cortinas, debería ir a lo largo, de arriba abajo.

El sesgo

El sesgo se encuentra a lo largo de cualquier línea diagonal entre el grano longitudinal y el grano transversal. El sesgo real está en un ángulo de 45 grados, donde se logra una extensión máxima. Las tiras de tela que se cortan de acuerdo al sesgo se usan como entretela y como bies alrededor del cuello y las mangas; también forman los ribetes de los adornos suaves para tapicería.

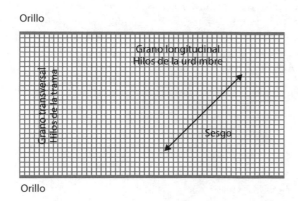

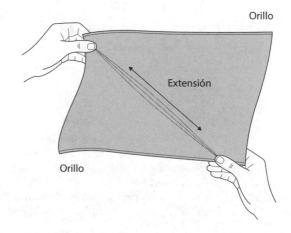

El tejido Jacquard combina el tejido simple, el tejido tipo sarga y el tejido satín para producir damascos, brocados y "tapicería". Joseph Marie Jacquard inventó esta técnica en 1801 utilizando un telar que tejía patrones intrincados y se controlaba mediante una serie de tarjetas perforadas. Posteriormente, el revolucionario sistema de Jacquard inspiró al matemático Charles Babbage a desarrollar la primera computadora mecánica.

El rasgado de las telas – De los tres tipos de telas, la que se rasga con mayor facilidad es la de tejido simple, ya que sus hilos están muy juntos y no soportan la tensión al doblarse, extenderse o torcerse. El tejido simple se rasga en línea recta, siguiendo el grano.

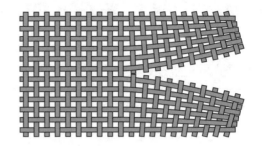

Posibilidad de que las telas se encojan – Cuanto más apretado sea el tejido, menos posibilidades hay de que la tela se encoja, durante la fabricación o después. La etiqueta te dirá si la tela es lavable o si sólo debe lavarse en tintorería. Si no es tela pre-lavada, debes lavarla antes de cortarla. Sumérgela en agua caliente durante 30 minutos, luego exprímela con cuidado, sécala y plánchala si es necesario.

Telas de tejido de punto

El tejido de punto se hace entrelazando puntadas de bucle (loop stitch); esto significa que las orillas que se cortan no se desenredan y la tela no se pliega con facilidad. Estas telas no siempre son elásticas; un jersey firme o una tela tipo vellón (como las telas calientes con un acabado aterciopelado que se usan para abrigos o chamarras) es bastante estable. Por el contrario, las telas que contienen fibras spandex se extienden a lo largo y a lo ancho, lo que las hace perfectas para la ropa deportiva y la que se usa en la danza. Existen dos tipos principales de tejido de punto: tejido trama y tejido urdimbre (que en ocasiones se conoce como "raschel").

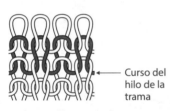

Curso del hilo de la trama

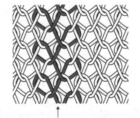

Cadena vertical de puntadas (a lo largo de la urdimbre, como las franjas de la pana)

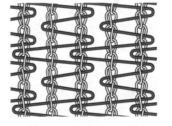

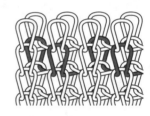

1 La tela tejida a lo largo de la trama se produce como el tejido hecho a mano, con lazos que se forman al trabajar con un estambre a lo largo de "cursos" o filas a todo lo ancho de la tela. Puede hacerse con una variedad de máquinas tejedoras industriales o domésticas, y se le puede dar forma en el proceso. El que se siga un "curso" al tejerla significa que el tejido puede deshacerse a partir de un extremo suelto.

2 La tela hecha con cadenas verticales se realiza mediante múltiples hilos de estambre que forman bucles en sentido vertical, creando columnas. Se hace con una máquina especial con el fin de producir una tela que se extiende muy poco y a la que no se le hacen carreras (como en las medias de nylon). Los productos típicos hechos con esta clase de telas son el tricot y la seda milanesa para lencería.

Entre los productos de tela con cadenas verticales están las camisetas, las cortinas de encaje y las mantas.

Raschel – Este tipo de tejido vertical (a lo largo de la urdimbre) tiene una construcción abierta que puede imitar al encaje y al crochet hecho a mano; tiene estambres pesados y texturizados sobrepuestos que se mantienen en su lugar con un estambre mucho más fino.

Interlock – Éste es un suave tejido vertical con puntadas que se entrelazan muy de cerca y que permiten que la tela se extienda; por lo general se usa en la fabricación de ropa interior de punto y de ropa casual.

LA MÁQUINA DE COSER

El elemento más importante en cuanto al equipo necesario para la costura, es una máquina de coser de buena calidad. Puede ser una máquina de hierro fundido que sea un recuerdo de tu familia o el modelo computarizado más moderno. Te dará décadas de servicio siempre y cuando la uses adecuadamente y le des el mantenimiento que requiere.

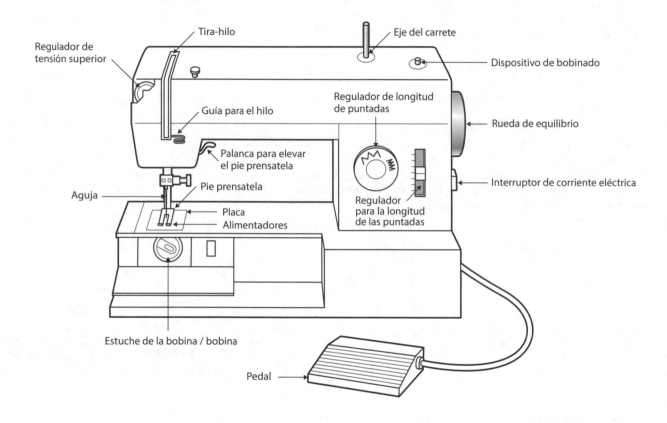

Puedes comprar una máquina de coser nueva o una de segunda mano, dependiendo del uso que pienses darle. Si eres principiante o sólo la usarás en algunas ocasiones, te conviene un modelo eléctrico básico, como el que se muestra en la ilustración; tiene un motor eléctrico que mueve la aguja, la bobina y los alimentadores y se controla mediante un pedal que determina la velocidad de la máquina para coser y la velocidad con que la tela se introduce en ella. Puede utilizar diferentes tamaños de puntadas rectas, dobladillos, costuras elásticas y en zigzag, que se seleccionan moviendo una manecilla; también hace ojales y toda una gama de puntadas decorativas.

Las máquinas de coser computarizadas (*ver la foto de la contraportada*) se controlan con microchips y tienen varios motores internos, lo que hace que sean muy versátiles y mucho más caras. Se operan utilizando un teclado táctil y una pantalla de cristal líquido (LCD), y pueden o no contar con un pedal. Son máquinas sofisticadas que incluso te avisan cuando el hilo de la bobina se está acabando.

El hecho de que puedan memorizar y reproducir tareas que se han realizado en el pasado y ofrezcan cientos de puntadas distintas que se pueden descargar de una computadora personal, las convierte en la herramienta ideal para profesionales o semi-profesionales. Si planeas confeccionar muchas prendas de ropa, prestar servicios relacionados con alterar o reparar prendas; si deseas hacer trabajos de decoración de interiores o bordados complejos, vale la pena invertir en una máquina de coser computarizada.

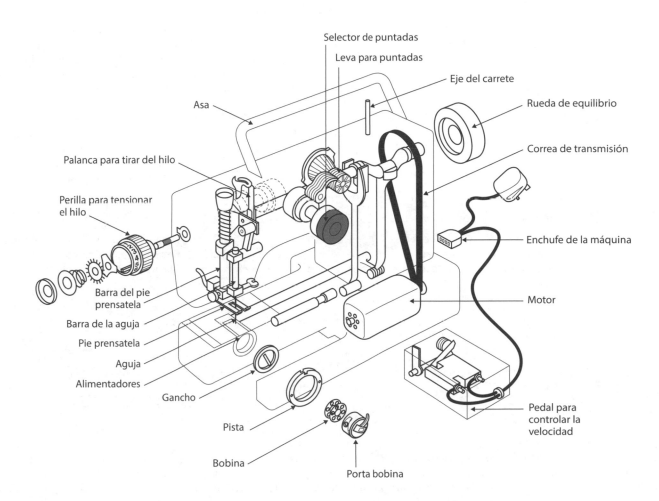

Selector de puntadas

Leva para puntadas

Eje del carrete

Asa

Rueda de equilibrio

Palanca para tirar del hilo

Correa de transmisión

Perilla para tensionar el hilo

Enchufe de la máquina

Barra del pie prensatela

Motor

Barra de la aguja

Pie prensatela

Aguja

Alimentadores

Gancho

Pedal para controlar la velocidad

Pista

Bobina

Porta bobina

Prepara una lista de las características que deseas. ¿Necesitas un estuche para transportar la máquina de coser o la vas a tener siempre sobre una mesa? ¿Prefieres un modelo con control manual en lugar de con pedal? ¿Te gustaría una máquina plana convertible que también tuviera un brazo móvil para que sea fácil coser mangas?

Éstos son algunos requisitos básicos: Un buen manual de instrucciones; que la estructura de la máquina sea resistente; que la bobina sea fácil de manejar; que la aguja se pueda enhebrar directamente; que el cambio de agujas sea fácil; que la tensión y la presión sean ajustables; que tenga un control para hacer puntadas en reversa; que cuente con un control de velocidad variable, incluyendo un avance muy lento; que pueda coser varias capas de material grueso sin detenerse; que la placa de la aguja tenga una marca para el margen de la costura; que tenga una luz sobre el área de la aguja; que cuente con cortador de hilo; que requiera un mínimo de aceite, o que no requiera aceitarse en absoluto.

Valdría la pena considerar la adquisición de una máquina Overlock (serger) si uno planea dedicarse a la confección de prendas de vestir a gran escala. Estas máquinas se usan ampliamente en la industria; combinan las funciones de una máquina, hacen arreglos y recortan costuras en una sola operación. Las máquinas Overlock trabajan con dos, tres o cuatro hilos y producen puntadas con vueltas arriba y abajo del borde de la tela; al mismo tiempo, un cortador filoso elimina el exceso de material.

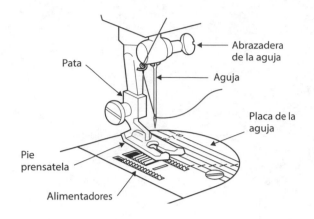

Pata

Abrazadera de la aguja

Aguja

Placa de la aguja

Pie prensatela

Alimentadores

Aguja, pie prensatela, alimentadores, placa de la aguja

Las agujas de uso general para máquinas de coser vienen en diversos tamaños, del 60 al 120 (8-19). Las más finas cosen materiales delicados y las más gruesas pueden coser telas burdas como la mezclilla. Usa una aguja de punta redondeada para tejidos de punto o telas extensibles. A la larga, las agujas se despuntan o se rompen, así que debes tener varias de repuesto y debes cambiarlas con frecuencia. El pie prensatela mantiene la tela contra los alimentadores, mientras la aguja hace la puntada. Los alimentadores tienen piezas pequeñas de metal que hacen que la tela se mueva del frente hacia atrás a medida que se dan las puntadas. La placa de la aguja está sobre los alimentadores, cubre la bobina y tiene un orificio a través del cual pasa la aguja.

Patas de la máquina

La pata del pie prensatela (como se puede ver en la pata para puntadas rectas, abajo) se une a la máquina con un tornillo sencillo; las máquinas más nuevas tienen patas que se ajustan mediante presión, lo que ahorra tiempo. Existe una gran variedad de patas intercambiables, al menos una para cada función de puntada. Éstas son cinco clases de patas que sería útil tener:

   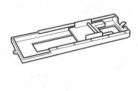

1 **Puntada recta** – El pie prensatela para propósitos generales viene listo para usarse en la mayoría de las máquinas de coser.

2 **Zigzag** – Tiene una ranura horizontal que permite el movimiento de la aguja al formar el zigzag con el hilo.

3 **Zíper** – Se usa para introducir sujetadores de zíper y ribetes, y llega a cualquier lugar donde la línea de la puntada deba entrar. El pie puede deslizarse a la izquierda o a la derecha, y la aguja actúa en la pequeña muesca que está entre el pie y el zíper.

4 **Telas acolchadas** – Usa los dientes para alimentar las capas superiores e inferiores de la tela de modo que vayan juntas y parejas, y evitar que se amontonen. Es ideal para el vinilo, el terciopelo, la tela escocesa y las telas que tienden a deslizarse o extenderse.

5 **Pieza para hacer ojales** – Se coloca el botón en la pieza, detrás de la aguja, y al hacerse las puntadas se crea el ojal del tamaño adecuado.

Cuidado general y mantenimiento

Cuando no están en uso, todas las máquinas deben estar cubiertas: El polvo es un enemigo peligroso. Deben limpiarse regularmente con un cepillo pequeño bajo los alimentadores y alrededor de la bobina; te sorprenderá ver la cantidad de pelusa que se acumula ahí. Sólo debes aceitar la máquina de acuerdo a las instrucciones del fabricante y después límpiala con una tela de algodón para eliminar el exceso de aceite. Evita que las agujas se doblen o se rompan, elevando bien la aguja antes de sacar la tela y no la muevas mientras se hacen las puntadas. Coser con una aguja doblada hará que golpee el pie o la needle plate placa de la aguja y se rompa. Siempre debes subir el pie prensatela cuando coloques el hilo en la máquina y bajarlo cuando termines tu trabajo. El pedal es parte del circuito eléctrico y debes tratarlo con cuidado. Ante todo, desconecta el interruptor antes de desconectar cualquier enchufe o intentar limpiar o reparar la máquina.

Trabaja en una mesa que tenga la altura correcta para tu comodidad y si es posible usa una silla ajustable. Si estás frente a una ventana tendrás la mejor iluminación durante el día. Puedes usar una luz colgante, una lámpara estándar o una lámpara de escritorio para dirigir la luz adicional hacia donde la necesites; consigue focos o bombillas de luz natural o de luz de halógeno para lograr un efecto más natural.

PATRONES DE PAPEL

Cómo tomar medidas

1 Altura – Estando de pie contra una pared, mide de la coronilla de la cabeza hasta el suelo.

2 Busto o pecho – Mide alrededor de la parte más gruesa.

3 Cintura – Mide alrededor de la línea natural de la cintura; no ajustes la cinta al hacerlo.

4 Cadera – Mide alrededor de la parte más gruesa.

5 Hombros – Mide por la espalda del punto de un hombro al otro.

6 Largo de la espalda hasta la cintura – Mide de la nuca hasta la cintura.

7 Largo de la manga – Mide del centro de la parte trasera del cuello, sobre el hombro y hacia abajo, con el brazo ligeramente doblado hasta la muñeca.

8 Torso – Mide del centro del hombro, hasta la entrepierna, y de nuevo hasta el hombro.

9 Interior de la pierna – Mide desde la entrepierna hasta el empeine por la parte interior de la pierna.

10 Cabeza – Mide alrededor de la parte más ancha, alrededor de la frente.

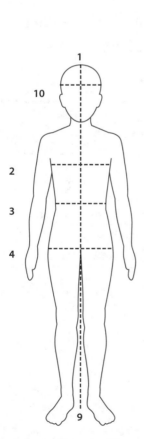

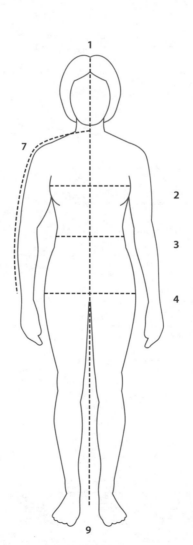

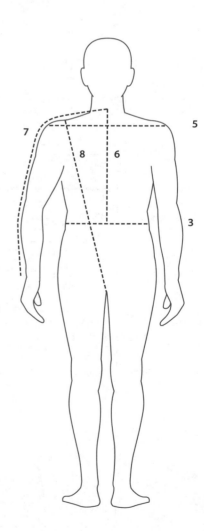

Anatomía de un patrón de papel

Puedes adquirir patrones de papel muy completos que generalmente vienen dentro de un sobre; en la parte frontal del modelo se muestra una ilustración a color de la prenda de vestir, mientras que en la parte de atrás se proporciona la información esencial que puede ser presentada de la siguiente manera:

Medidas corporales y tabla de tallas →

TALLAS	8	10	12	14	16	18	20	22	24
Busto	80	83	87	92	97	102	107	112	117
Cintura	61	64	67	71	76	81	87	94	99
Cadera	85	88	92	97	102	107	112	117	122

Poitrine	80	83	87	92	97	102	107	112	117
Taille	61	64	67	71	76	81	87	94	99
Hanches	85	88	92	97	102	107	112	117	122

Estilo número →

X852

FÁCIL/FACILE

Descripción de la ropa →
BLUSA, FALDA Y PANTALONES DE MUJER: A blusa cerrada con cuello, entretela al frente, bolsas y bordes sin terminar; B falda recta y C pantalón con cinturón elástico oculto 2.5 cm. bajo la cintura.
Conceptos →
CONCEPTOS: Falda B, Pantalón C: 1.5 m de elástico de 2.5 cm.
Telas que se sugieren →
TELAS: Sólo tejidos de elasticidad moderada:
Jersey de lana ligera, tejido de algodón e Interlock.
No es apropiado para telas con diseños diagonales obvios, cuadros o rayas.
Utilizar telas con lanilla (como el terciopelo)/diseños de tela gruesa, sombreados o telas con diseños en un solo sentido. *con lanilla **sin lanilla.

Combinaciones: BB(8-10-12-14), F5 (16-18-20-22-24)

TUNIQUE, JUPE ET PANTALON (J. femme): Tunique à passer par la tête A avec col, parementure devant, poches et bord sans finition. Jupe B et pantalon C droits à 2.5 cm au-dessous de la taille, avec ligne de taille élastiquée cachée.
MERCERIE: Jupe B, Pantalon C: 1.4 m d'Elastique (2.5 cm).
TISSUS: Uniquement pour tricot à elasticité moyenne: jersey de laine fin, Tricot de coton et interlock. Rayures/grandes diagonales/écossais ne conviennent pas. Compte non tenu des raccords de rayures/carreaux. *avec sens. **sans sens.
Séries: BB(8-10-12-14), F5(16-18-20-22-24)

Séries: BB(8-10-12-14), F5 (16-18-20-22-24)

Cantidad de tela que se necesita →

TALLAS	8	10	12	14	16	18	20	22	24
BLUSA A									
150 cm*	1.9	2.0	2.0	2.0	2.0	2.0	2.0	2.0	2.1
FALDA B									
150 cm*, 0.8 m									
PANTALÓN C									
150 cm*	1.2	1.2	1.2	1.2	1.3	1.4	2.0	2.0	2.1

TAILLES	8	10	12	14	16	18	20	22	24
TUNIQUE A									
150 cm*	1.9	2.0	2.0	2.0	2.0	2.0	2.0	2.0	2.1
JUPE B									
150 cm*, 0.8 m									
PANTALON C									
150 cm*	1.2	1.2	1.2	1.2	1.3	1.4	2.0	2.0	2.1

Medidas de la prenda terminada →

Ancho, extremo inferior

Blusa A	146	149	152	152	163	168	173	178	183
Falda B	87	89	98	98	103	108	113	118	123

Largeur, à l'ourlet

Tunique A	146	149	152	157	163	168	173	178	183
Jupe B	87	89	98	98	103	108	113	118	123

Equivalencias métricas —

Ancho, cada pierna

Pantalón C	42	43	45	46	47	48	50	51	52

Largeur, chaque jambe

Pantalon C	42	43	45	46	47	48	50	51	52

Largo parte trasera, desde la base hasta el cuello

Blusa A	76	76	77	78	78	79	80	80	81

Longueur – dos, votre nuque à ourlet

Tunique A	76	76	77	78	78	79	80	80	81

Largo parte trasera desde la cintura

Falda B, 66 cm

Longueur –dos, taille à ourlet

Jupe B, 66 cm

Largo de un lado desde la cintura

Pantalón C, 107 cm

Longueur – côté, taille à ourlet

Pantalon C, 107 cm

Vista de la prenda —

Frente Atrás   Frente Atrás   Frente Atrás

A   A   B   B   C   C

Dentro del sobre encontrarás no sólo los patrones impresos, sino también una hoja con información muy importante. Esta hoja es una breve guía sobre la manera de coser estas prendas; proporciona instrucciones generales y explicaciones sobre las marcas que aparecen en los patrones, sobre la forma de cortar la tela, sobre la forma de prepararla, un glosario de términos, e instrucciones paso a paso sobre la forma de coser estas prendas.

A continuación se muestran patrones primarios para cortar. Las telas se fabrican con anchos estándar: Las telas de algodón para vestidos miden de 91 a 115 cm; las telas de poliéster, de lana y de tapicería miden de 137 a 152 cm. Se proporcionan diferentes patrones para cada ancho de tela, tomando en cuenta el hecho de que la tela podría tener lanilla, como el terciopelo. Se incluyen patrones para entretelas y forros. La información en general es completa y precisa.

Si estás trabajando con una tela estampada a cuadros, rayas largas o diseños que se repiten, tal vez no puedas cortar el patrón economizando tela, y es probable que necesites comprar tela extra para que las costuras y aperturas queden bien. La cantidad adicional debe mencionarse en el patrón; si no se menciona, pide el consejo del vendedor o vendedora de la tienda.

Cómo cortar patrones

Los moldes de papel se colocan a lo largo del grano de la tela (págs. 14-15) y se fijan con alfileres. La tela normalmente se pone doble, pero si un molde no necesita cortarse doble o debe cortarse en forma transversal a la tela, el patrón deberá indicarlo. Es fácil distinguir el revés de la tela por el tono de los colores.

Al fijar los moldes con alfileres a la tela, debes tener mucho cuidado de que el estampado (por ejemplo, el de cuadros, rayas u otras figuras) o las sedas o tafetas tornasoladas, combinen bien. Las telas tornasoladas tienen trama y urdimbre de dos colores diferentes, de modo que la tela parece cambiar de color dependiendo del ángulo.

Si tienes que hacer marcas en la tela, por ejemplo para señalar el lugar de los ojales, utiliza la tiza (gis) que usan los sastres (pág. 5) o cualquier marcador de telas que puedas conseguir. Algunos tienen tinta soluble al agua y se desvanecen después de uno o dos días; siempre sigue las instrucciones de uso que acompañan a los marcadores. No es recomendable usar este tipo de marcadores en telas que no son lavables y sólo pueden lavarse en tintorería.

Las muescas que aparecen en los moldes de papel pueden cortarse o dejar que salgan en los bordes de la tela, o pueden incluirse como parte de la tela que se deja para las costuras.

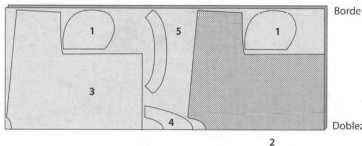

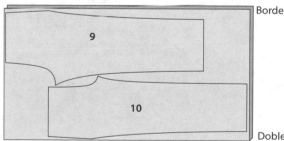

ACCESORIOS

Los accesorios son los artículos adicionales que se necesitan para confeccionar una prenda, además de la tela en sí. A continuación aparecen algunos accesorios típicos. Consíguelos cuando compres la tela para asegurarte de que tenga los colores adecuados.

A **Hilo**
B **Bies**
C **Elástico**
D **Listón y encaje**
E **Botones**
F **Zíper**
G **Broches de presión**
H **Broches de gancho**
I **Velcro**

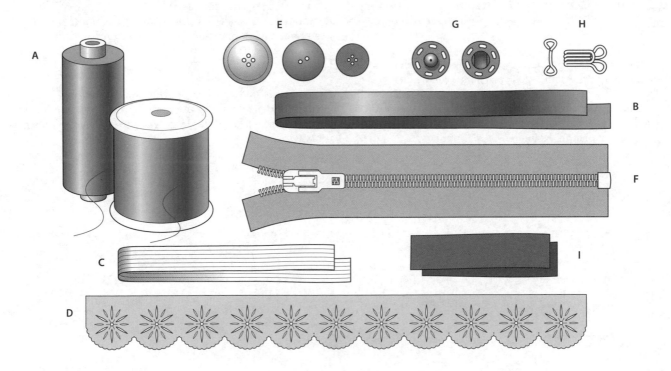

SEGUNDA PARTE

MÉTODOS Y TÉCNICAS PARA COSER A MANO

CÓMO ENSARTAR UNA AGUJA

Si se te dificulta ensartar (enhebrar) una aguja para coser a mano, intenta usar el enhebrador de agujas que se proporciona en los estuches de costura, o puedes comprar uno en una mercería.

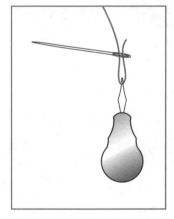

3 Pasa el alambre y el hilo por el ojo de la aguja. Retira el alambre pasándolo por el extremo más corto del hilo, hasta que lo único que quede en el ojo de la aguja sea el hilo y el alambre haya quedado libre.

1 Sostén el mango del enhebrador entre el pulgar y el índice, desliza el alambre por el ojo de la aguja.

2 Coloca el hilo en el alambre.

Puntadas rectas

Hilván

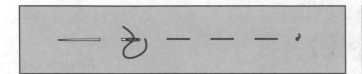

Mantiene la tela en posición hasta que la costura final se realiza. Es similar a la puntada de bastilla, pero es más larga. Empieza con un nudo que luego cortas, cuando llegue el momento de retirar el hilván.

Puntada de bastilla

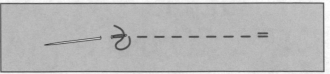

Es la puntada básica y la más sencilla, se usa para unir costuras y para hacer frunces. Primero sujeta el hilo con dos puntadas pequeñas en el mismo lugar. Con la aguja al frente, hazla entrar y salir de la tela una y otra vez, ininterrumpidamente. Las puntadas y los espacios entre las puntadas deben ser del mismo tamaño. Remátala con un punto atrás al final.

Punto atrás

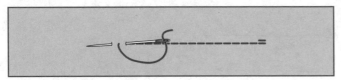

Esta puntada se parece a las que hace una máquina de coser. Empieza de la misma forma en que empezaste la puntada de bastilla y luego haz una puntada hacia atrás en el espacio que sigue a la última puntada que hiciste. Repite esto moviendo la aguja hacia atrás, hasta el punto donde terminó la puntada anterior.

Punto de festón

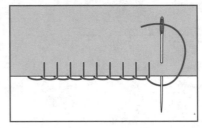

Se usa para dar acabado a los bordes de la tela. Sujeta el hilo con un nudo y mueve la aguja hacia el frente. Saca el hilo a la superficie de la tela, al principio de la línea de la costura. Sujeta el hilo bajo la línea y moviéndolo hacia ti, da una puntada a través de la tela de derecha a izquierda y saca la aguja en la línea. Dentro del lazo del hilo. Luego sujeta el hilo bajo la línea y da una puntada de derecha a izquierda otra vez.

CÓMO UNIR UNA COSTURA ABIERTA

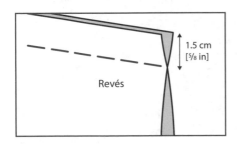

1 Fija los lados de la tela con alfileres y con hilvanes antes de unirlos con puntada de bastilla o con punto atrás, dejando una orilla de 1.5 centímetros desde la orilla de la tela. Este espacio se llama margen de la costura.

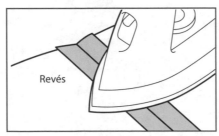

2 Coloca los lados de la tela sobre una superficie plana y plancha el margen de la costura.

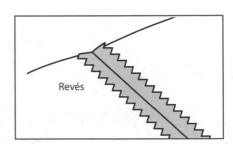

3 Si es necesario, usa unas tijeras dentadas para arreglar los bordes de la tela y evitar que se deshilachen. También puedes usar el punto de festón en las orillas o puedes reforzarlo con una costura doble (pág. 20).

CÓMO HACER UNA COSTURA CERRADA

Las costuras cerradas, como la costura francesa, encierran los márgenes de la costura para que no queden bordes visibles. Conviene hacerlas en prendas de vestir que no van forradas, en lencería y en telas finas que tienden a deshilacharse. La puntada doble es resistente al uso y al lavado frecuentes.

Cómo hacer una costura francesa a mano

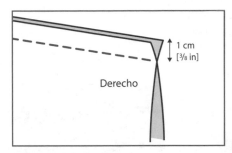

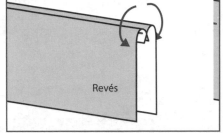

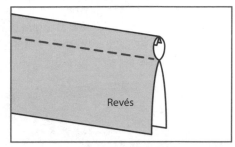

1 Prende con alfileres e hilvana el revés de las telas que haya que unir, con las caras del revés juntas, antes de hacer una línea de hilván o puntada de bastilla a un centímetro del borde de la tela.

2 Corta ambos bordes del margen de la tela a una distancia de 3 mm y dobla el derecho de la tela a lo largo de la línea de costura. Plancha la costura a lo largo del doblez, ocultando el margen de la costura.

3 Haz una segunda línea de puntadas a 6 mm del doblez, y plancha la costura terminada hacia un lado.

CURVAS Y ESQUINAS

Cómo cortar curvas exteriores e interiores

Como es natural, las costuras curvas tienen márgenes curvos en los que deben hacerse cortes para que se extiendan o se traslapen limpiamente y queden planos.

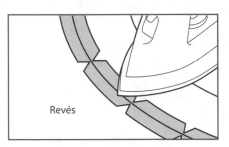

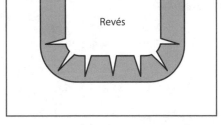

En los cuellos, las sisas y las bolsas hay curvas que deben cortarse. Si tienes que cortar hasta la línea de la costura, ten cuidado de no cortar la puntada en sí. Si es necesario, usa después la punta de la plancha para que el margen de la tela se abra en la curva; puedes usar una almohadilla firme que actúa como un molde curvo para planchar áreas curvas en la ropa (pág. 5) o una almohadilla con una apertura lateral en la que puedes meter la mano. Es de lana por un lado y de algodón por el otro.

Los cortes sencillos a intervalos regulares podrían ser suficientes para unir telas de seda o algodón, pero para evitar que las telas más gruesas tengan bordes abultados, haz cortes en forma de cuña en los márgenes de la tela y elimina por completo el exceso de material.

Cómo cortar esquinas

Lo mismo se aplica a las esquinas, por ejemplo en la parte inferior de una bolsa o en los extremos de una pretina. Corta y elimina el exceso de tela tan cerca de las puntadas como sea posible para que la esquina quede precisa y en ángulo recto. Ayúdate usando un gancho de crochet o una aguja de tejer; pero no uses nada que tenga filo y pueda dañar la tela.

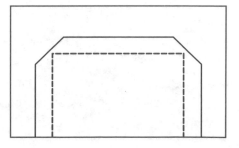

PARA REMENDAR

Usa puntadas rectas

Para remendar costuras y pretinas se usa la puntada de bastilla o el punto atrás. Las costuras cruzadas, como el punto donde se unen cuatro piezas de tela, como en la entrepierna de un pantalón o la sisa de una blusa, necesitan repararse con frecuencia y para hacerlo debes voltear la prenda al revés para poder ver las puntadas rotas y remendarlas. Empieza y termina un centímetro antes y después de la rotura, donde las puntadas todavía están bien. La costura superior de una pretina o de una costura falsa sobrecosida y plana (pág. 39) puedes remendarla fácilmente por el derecho de la prenda. Siempre remata con punto atrás el hilo del remiendo al principio y al final; los nudos son innecesarios pues tensan los hilos y pueden verse en la prenda cuando se plancha.

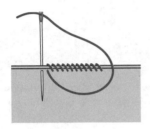

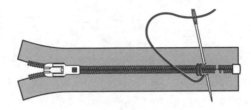

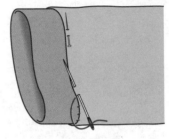

Sobrecosido

Se usa para unir dos bordes, por ejemplo cuando se remienda una rotura, o cuando se hace un cinturón o se cose una tira de tela a una prenda. Primero fija el hilo con dos puntadas pequeñas en el lugar donde se necesita coser y continúa con puntadas diagonales a espacios del mismo tamaño. Esta puntada puede hacerse de izquierda a derecha o viceversa.

Sobrecosido en un zíper roto

Si los dientes del zíper que se rompieron están cerca de la parte inferior del zíper, puedes remendarlo subiendo el deslizador por encima de la rotura y cosiendo de un lado a otro de las filas de dientes.

Puntada invisible

Se usa para coser un borde doblado a una superficie plana sin que se vean las puntadas. Sujeta unos cuantos hilos de la tela con tu aguja, coloca el doblez y deslízalo hacia dentro un centímetro antes de volver a sacar la aguja para dar la siguiente puntada.

Cómo reparar el forro de una manga

La puntada invisible es ideal para reparar el forro del puño de una manga. Si se rompió por el uso, el forro puede descoserse alrededor de la parte interior y voltearse para ocultar la sección rota. Haz un nuevo doblez, fíjalo con alfileres y vuelve a coser el forro.

CÓMO USAR UN MEDIDOR DE PUNTADAS

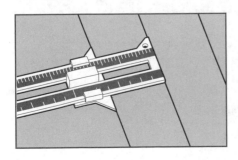

Éste es un medidor de 15 centímetros equipado con un marcador que se desliza y permite que lo ajustes a una medida fija. Úsalo para asegurarte de que el espacio de la costura o el dobladillo se mantiene del mismo tamaño, o para medir pliegues y ojales con precisión.

DOBLADILLOS

Cómo hacer el dobladillo

Los dobladillos o bastillas con frecuencia se hacen a mano, aunque el resto de la prenda se cosa a máquina.

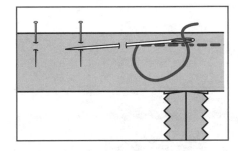 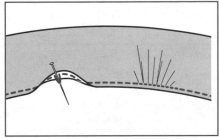 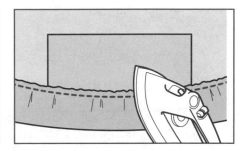

1 Deja la prenda colgada durante un día antes de fijar el dobladillo con alfileres, luego hilvana el borde inferior y dobla la orilla de modo que esté lista para coserse. Si la tela se deshilacha o es demasiado gruesa, cose una cinta al derecho de la tela y haz la puntada de bastilla en ella. (pág. 24).

2 En una bastilla acampanada o circular, asegura su buen acabado con puntada de bastilla. Forma pliegues usando alfileres, luego hilvana preparando así la bastilla para coserla. Otra alternativa es colocar un bies (pág. 24) después de hacer los pliegues.

3 Al hacer bastillas en telas de lana, conviene usar una plancha de vapor para reducir el grosor de la bastilla. Usa una tela o papel grueso para evitar rugosidad en la parte frontal de la tela. Plancha suavemente levantando la plancha, no deslizándola sobre la tela húmeda.

Puntada de bastilla o dobladillo

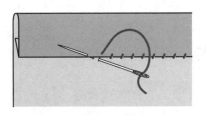

La segunda vuelta de la bastilla debe ser más angosta que la primera, aproximadamente de 7 a 10 milímetros. Fija el hilo con dos puntadas pequeñas en la orilla de este doblez. Empieza a coser la bastilla tomando dos o tres hilos de la tela principal antes de pasar la aguja para tomar el doblez. Esta puntada puede hacerse hacia la derecha o hacia la izquierda.

Puntada invisible en las bastillas

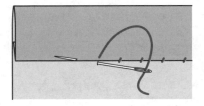

Es parecida a la puntada invisible (pág. 20). Toma unos hilos de la tela con la aguja, entra al doblez por el interior a un centímetro de distancia antes de sacar la aguja para hacer la siguiente puntada.

Bastilla plana con espiguilla

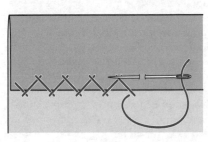

Fija las bastillas en telas gruesas que no se deshilachan y en las que no se hace un segundo doblez. Básicamente es un punto de cruz grande que se forma mediante punto atrás en cada capa de la tela.

Bastilla redonda

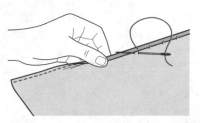

Para telas delicadas, primero cose a lo largo de una bastilla marcada con una aguja fina. Recorta a 5 milímetros de esa línea y, con el pulgar y el índice, empieza a redondear el borde sobre la puntada. Introduce tu aguja en el rollo, toma uno o dos hilos de la tela y desliza la aguja de nuevo al interior del rollo. Después de varias puntadas tira del hilo para reafirmar el rollo.

PRETINAS

Una pretina es un tubo para un resorte (elástico), cordón o listón. Se usan pretinas en la cintura de un vestido, para colocar bandas elásticas y en bolsas. En la decoración de interiores se necesitan pretinas en las cortinas. Si la pretina es suficientemente ancha, puedes hacerle una segunda línea de puntadas para introducir la varilla y crear una sección superior plegada para la cortina.

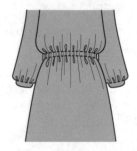

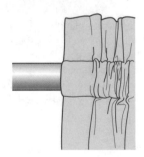

Cómo hacer una pretina

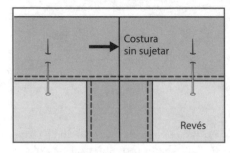

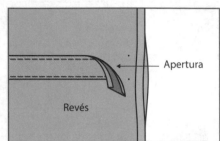

1 Dobla la tela, como para hacer un dobladillo. Fíjala con alfileres. Si la vas a coser a mano, usa punto atrás para darle fuerza porque una pretina debe ser muy resistente. Para dejar un espacio para que entre un cordón (por ejemplo, en una bolsa) no sujetes las costuras laterales sobre la línea horizontal de puntadas; haz que la tela de este espacio quede doblada hacia dentro.

2 También puedes crear un canal con una cinta recta. Si la coses en el revés de la tela, debe ser un poco más ancha que el elástico, listón o cuerda que va a pasar a través de ella. Deja espacios sin costura para introducir el elástico, el listón o la cuerda, pero cuando los cierres ten cuidado de no bloquear el canal.

Cómo introducir la cinta o el elástico en la pretina

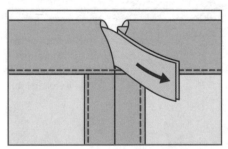

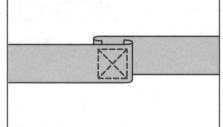

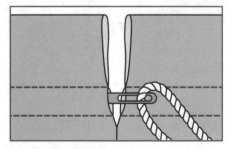

1 Calcula cuánto elástico necesitas extendiéndolo alrededor de la cintura, la muñeca, etc., e incluye un trozo adicional para ajustes y costuras en los extremos. Será más corto que la pretina, así que debes sujetarlo con un alfiler de seguridad antes de introducirlo en la pretina; la pretina se fruncirá a medida que la haces. Empareja los extremos afuera de la pretina cuando termines de meter el elástico, junta los extremos con alfileres y verifica que la medida sea correcta.

2 Corta el exceso si es necesario, luego une el elástico como se muestra en la ilustración, a menos que sea muy delgado y no puedas doblarlo. Forma un cuadrado y una cruz con puntadas para que la costura quede firme. Ahora, la banda de la cintura, el puño, etc., puede cerrarse.

3 Para colocar un cordón que pueda jalarse en dos direcciones, compra suficiente cordón para que pase dos veces alrededor de la parte superior de una bolsa, dejando aproximadamente 30 centímetros adicionales. La pretina debe tener un espacio en la costura de cada lado. Corta la cuerda a la mitad y con una aguja de jareta introduce cada mitad alrededor de la pretina, empezando y terminando en los lados opuestos. Ata bien con un nudo los extremos de la cuerda; jala los dos al mismo tiempo para cerrar la bolsa.

PROYECTO: UNA BOLSITA PARA REGALOS CON CORDÓN AJUSTABLE

Esta bolsita mide 10 x 18 centímetros y puede coserse a mano, usando organdí y listones; es una bolsita para dar regalos en fiestas, bodas o bautizos. En esta clase de bolsitas de muselina o tela fina de algodón, puedes guardar un *sachet* de lavanda o madera aromática de cedro y ponerlo en un armario o en un cajón. Este mismo patrón puede usarse para hacer una bolsa más grande para la ropa, para zapatos o para juguetes, usando la tela adecuada.

Para hacer la bolsita necesitas:

- Trozo de organdí de 13 x 46 centímetros.
- Trozo de listón de seda, satín o nylon de 25 centímetros de largo y 15 milímetros de ancho para colocar en la pretina externa
- 65 centímetros de un listón de 7 milímetros de ancho que combine, para usarlo como cordón ajustable. También puedes usar un cordón delgado de seda del mismo tamaño.

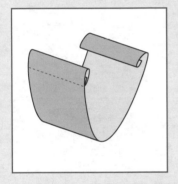
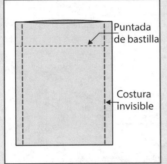

1 Haz un doblez de 5 centímetros en cada extremo de la tela y haz un dobladillo como se explica en la página 21. Después, dobla la tela a la mitad, dejando el revés de la tela por dentro.

2 Haz una costura invisible a cada lado de la bolsa, siguiendo las instrucciones de la página 19. Después de hacer la costura invisible, voltea la bolsa al derecho; está lista para colocar la pretina de listón en la superficie externa.

3 Corta el listón de la pretina a la mitad. Toma una parte, dobla los extremos y fíjalo con alfileres a lo largo de la bolsa, ocultando la línea de puntadas de bastilla. Crea un canal con puntadas pequeñas y parejas (página 18) a lo largo del borde. Repite esto con el resto del listón del otro lado de la bolsa.

4 Habrá una apertura angosta en la pretina a cada lado de la bolsa, emparéjala con puntadas laterales. Corta el cordón ajustable o el listón a la mitad y usa una aguja de jareta o un alfiler de seguridad pequeño para introducirlo en la pretina (ver las instrucciones en la página anterior). Amarra los extremos. Con el resto del listón o la cuerda, repite el procedimiento en el lado opuesto.

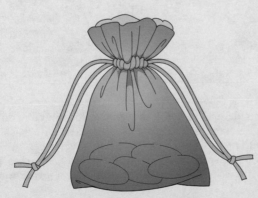

Coloca el regalo en la bolsa y ciérrala con el listón. Antes de llenar la bolsa, tal vez quieras adornarla de diversas formas, como con bordados, cintas o cuentas.

BIES Y CINTAS

Existen dos tipos de cintas y bies, y pueden conseguirse en diferentes materiales, desde sarga para uso rudo hasta redecillas de nylon.

Cinta recta

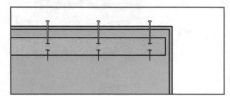

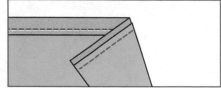

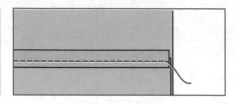

1 Se usa la cinta recta para reforzar las puntadas en costuras donde puede haber demasiada tensión en el hilo de la costura, como en los hombros y la cintura. La cinta se sujeta con alfileres sobre la línea de costura para que las puntadas pasen por un total de tres capas de material.

2 Cuando se hace la costura, el margen se recorta cerca de la línea de costura sin cortar la cinta.

3 La cinta recta también es útil para reforzar las bastillas. Si el material es grueso o se deshilacha, cósele una cinta por el derecho de la tela en el borde que no tiene dobladillo y úsalo como borde para la bastilla.

Uso del Bies

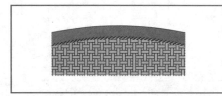

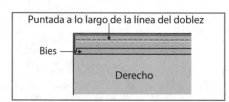

Puntada a lo largo de la línea del doblez

Bies

Derecho

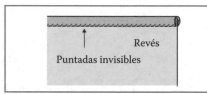

Revés

Puntadas invisibles

1 El bies es un trozo de tela cortado en sesgo y sigue los contornos de cualquier costura. Se usa para cubrir bordes que se deshilachan, especialmente en telas gruesas y en artículos acolchados que no se pueden doblar para hacer una bastilla.

2 Coloca la mitad del bies abierto, emparéjalo con el borde de la tela por el derecho y cóselo a lo largo de la línea del doblez del bies (si quieres hacerlo rápido, podrías usar una máquina de coser para hacer esto).

3 Dobla el bies sobre el borde hasta la línea de puntadas por el revés de la tela. Haz puntadas invisibles por el revés. Cose con puntada invisible a lo largo del doblez del bies.

Bies como decoración

A menudo se usa el bies en forma decorativa y puede conseguirse en muchos colores y diseños. Hay bies con acabado de satín o con acabado mate y también hay bies de muchos anchos. Si quiere ser muy original, puedes hacer tu propio bies con cualquier tela, teniendo cuidado de cortarlo en sesgo con un ángulo de 45 grados. Para usarlo como una cinta de doble doblez, debes cortar la cinta con un ancho que sea el cuádruple del ancho que planeas que tenga al terminar de coserlo.

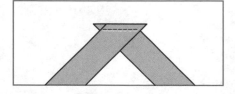

1 Para unir las tiras de tela, cose a lo largo de la trama recta teniendo las tiras de bies en ángulo recto. Plancha la costura de modo que después quede abierta y plana.

2 Al colocar un bies en el borde de un babero de niño no sólo se resuelve el problema de hacer un dobladillo con una tela tipo toalla, sino que el bies puede usarse para formar una cintilla en el cuello.

PLIEGUES Y PLISADOS

Tanto los pliegues como los plisados están diseñados para manejar la amplitud de la tela.

Pliegues

Las pretinas (pág. 22) son una forma de hacer pliegues, por ejemplo en las cortinas y volantes, pero también necesitamos arreglar pliegues permanentes, por ejemplo, en una falda plegada o en una manga abombada.

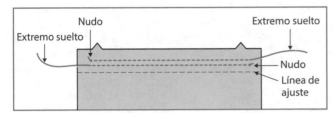
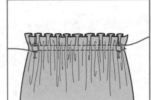
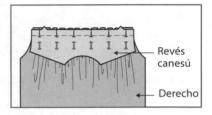

1 Dentro del margen de la costura de 1.5 centímetros, cose dos líneas de puntada de bastilla simple en direcciones opuestas. Empieza cada una con un nudo fuerte y deja el extremo suelto.

2 Los pliegues se formarán cuando ambos extremos sueltos se jalen suavemente al mismo tiempo. Enrolla los extremos sueltos en alfileres para que la tela tenga el ancho deseado.

3 Coloca los pliegues sobre una superficie plana y haz ajustes si es necesario antes de sujetar con alfileres la pretina y unirla a la tela con pliegues. En ese momento añade la cinta recta para reforzar, si es necesario (ver la página anterior).

Tableados

Los tableados regulan la amplitud de la tela en forma más estructurada que los pliegues. Deben medirse con cuidado y requieren de mayor preparación en lo relacionado con sujetarlas con alfileres e hilvanarlos. Debes tener lista una plancha, pues el tableado requiere que planches la tela a medida que avanzas en tu tarea.

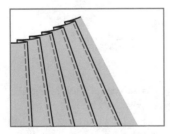
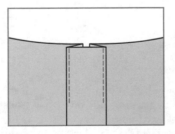
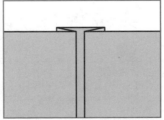

1 Una tabla es un doblez sencillo y sólo en una dirección, ya sea a la derecha o a la izquierda. Si planchas las tablas podrás irlas acomodando, pero cuando se trata de telas más gruesas, también se cosen por los bordes para que el tableado sea más definido.

2 Una falda con tablones encontrados se hace con dos tablas sencillas, una frente a otra. Por lo general se cosen por la parte superior para que conserven su forma al caer a la altura de las caderas.

3 Una falda con tablones encontrados a la inversa se hace cuando las tablas simples quedan una frente a otra. Ésta es una característica común en los uniformes militares.

Hay faldas rectas con un tablón cerrado de aproximadamente 30 centímetros, casi siempre en la parte de atrás. Dan mayor libertad de movimiento y el tablón debe reforzarse en la parte superior, en ambos lados, para evitar que se rompa.

FRUNCES - NIDO DE ABEJA

Los frunces (nido de abeja) son una forma tradicional de bordado que se trabaja con pequeños dobleces del mismo tamaño en la tela. Cuando los hilos que los unen se retiran, la tela es bastante elástica, lo que es ideal en la ropa para niñas. Los frunces nido de abeja también se ven bien en las blusas y en los puños de mangas largas, y son atractivos como detalle en las bolsas. En el campo de la decoración de interiores, los paneles de seda, de lino o de terciopelo con frunces nido de abeja, son muy elegantes en las fundas para cojines. Se necesita considerar tela adicional, en promedio usar tres o cuatro veces más del tamaño que tendrá la tela al final.

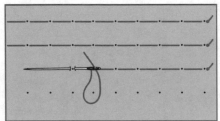

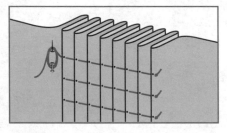

Ahora puedes empezar a bordar en la parte frontal de los dobleces (frunces). Es conveniente bordar con hilo de algodón estándar, aunque sólo trabajarás con tres hilos a la vez, usando una aguja para bordar (Pág. 6).

1 Si no estás bordando el nido de abeja en una tela a cuadros o rallada, en las que el diseño de la tela te sirve como guía, tendrás que transferir con una plancha al revés de la tela el modelo de puntos para nido de abeja *siguiendo la trama de la tela*. Haz las puntadas entre los puntos, como se muestra en la ilustración, usando un hilo de color que marque un contraste con la tela y que será fácil retirar después.

2 Jala, sin apretar la tela, los hilos guía para hacer los dobleces (frunces) y átalos por pares o enróllalos en alfileres para mantener la tela con la longitud deseada. Asegúrate de que los frunces sean parejos.

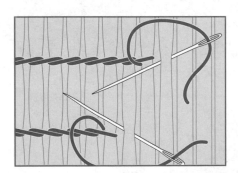

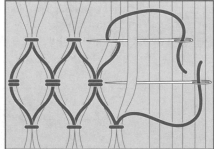

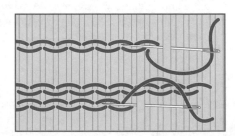

1 **Usa punto de tallo** porque se supone que los frunces nido de abeja deben ser relativamente elásticos; trata de no hacer puntadas demasiado apretadas. Haz la primera hilera con esta puntada sencilla para ponerla a prueba y establecer la tensión deseada.

2 **Puntada tipo panal:** Haz una puntada hacia atrás abarcando dos dobleces, saca la aguja entre ellos, baja 6 milímetros y vuelve a entrar en el siguiente doblez a la derecha, de derecha a izquierda. Haz otra puntada hacia atrás en ese punto y repite la secuencia subiendo y bajando en forma alterna. Repite una línea abajo, como la imagen de un espejo, para formar el patrón tipo panal. Verifica siempre que el hilo tenga una posición correcta por encima o por debajo de la aguja.

3 **Puntada tipo cable:** Saca la aguja a través del primer doblez a la izquierda, el hilo debe estar bajo la aguja y haz una puntada sobre el segundo doblez. Trabaja con el hilo sobre la aguja y debajo de la aguja en forma alterna. La puntada tipo cable doble se forma con dos hileras que se hacen juntas de modo que sean un reflejo una de otra.

PRETINAS DE CINTURA Y PUÑOS

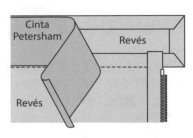

Las pretinas de cintura deben ser firmes y por lo tanto normalmente se cortan en dirección a la urdimbre (en sentido vertical, pág. 8) paralelas al borde. Es necesario que tengan el soporte de una cinta muy firme, como la Petersham (una cinta gruesa que se usa para dar firmeza a los cinturones, las bandas de botones, etc.), que queda visible en la parte interna de la pretina. Puede incorporarse al extremo que se traslapa un broche de gancho y barra, como los que se usan en las faldas rectas o en los pantalones.

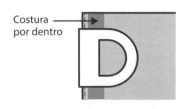

Otra manera de fortalecer internamente las pretinas de cintura y los puños es utilizar entretelas o materiales como el bucarán (tela dura hecha de algodón y en ocasiones de lino, que se usa para dar cuerpo a la ropa). Algunas entretelas se fijan con la plancha, lo que podría ahorrarte tiempo, pero debes verificar si se pueden lavar en la lavadora.

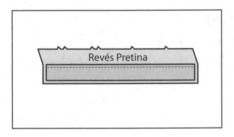

1 Dobla la pretina a la mitad, a lo largo, y cose la entretela en posición, alineándola con la línea central.

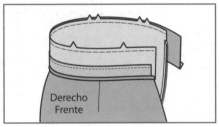

2 Empareja las marcas de la tela, fija con alfileres y cose por el derecho; luego cose la pretina a la falda de modo que quede firme (si es posible, usa una máquina de coser para hacerlo). Usa una plancha para acomodar la tirita que queda bajo la entretela.

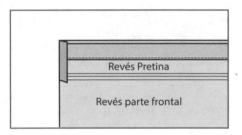

3 Recorta y cose los márgenes de las costuras para reducir el espesor antes de cerrar la pretina.

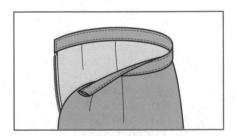

4 Dobla la pretina a lo largo del borde de la entretela para que la orilla concuerde con la línea principal de la costura. Fíjala con alfileres, hilvánala y haz una bastilla para darle un buen acabado.

El sistema velcro (sistema de cierre y apertura rápido y sencillo; consiste en dos cintas de tela que se fijan en las superficies al coserlas o pegarlas. Una de las cintas posee unas pequeñas púas flexibles que acaban en forma de gancho y que por simple presión se enganchan a la otra cinta cubierta de fibras enmarañadas que forman bucles y que permiten el agarre) requiere de muy poca presión y es ideal para las personas a quienes les es difícil manejar los botones y los cierres. El velcro puede cortarse para darle el tamaño adecuado, pues no se deshilacha, y puede coserse en la posición correcta en los puños, las pretinas de cintura y en aperturas como las que se hacen para las bolsas. Asegúrate de unir todas las superficies del velcro antes de meterlo en la lavadora.

APERTURAS Y FORMAS PARA CERRARLAS

Debajo de cada pretina o cuello hay una apertura. La forma más sencilla de cerrarlas es doblando la costura e insertando una cinta. Otras aperturas llevan entretelas o bandas que las refuerzan. Se hacen con dos tiras de tela, una sencilla y otra doble. Las aperturas pueden llevar un zíper, una hilera de botones o una tira de velcro que se refuerza con una costura en la parte superior.

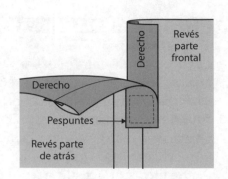

Derecho

Revés parte frontal

Derecho

Pespuntes

Revés parte de atrás

Formas para cerrar aperturas

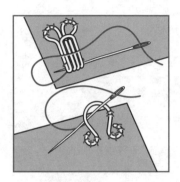

1 Usa una o dos combinaciones de broches de gancho para sujetar una pretina de cintura, dependiendo del ancho que tenga. Las pretinas de cintura se someten a mucha tensión, así que te conviene sujetar los broches de gancho con la puntada de ojal y con puntadas adicionales de refuerzo.

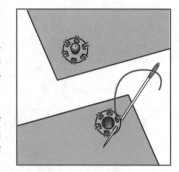

2 Cose los cuatro orificios de los broches de presión para sujetarlos a la tela de modo que se cierren mejor. No permitas que las puntadas se vean al derecho de la tela. Determina la posición de la mitad inferior, haciendo pasar la aguja a través del orificio central del broche. Si lo deseas, cose un botón por el derecho justo encima del broche de presión.

Cómo coser el botón de un saco

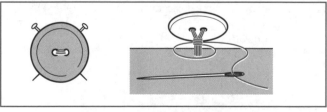

Usa hilo doble si no tienes hilo para botones. Los botones de los sacos y las chaquetas no deben coserse muy pegados a la tela; debe dejarse espacio para otra capa de tela cuando se abotonen. Algunos botones se fabrican con una patita de metal para garantizar este espacio. En botones que no la tienen, el grosor de dos alfileres cruzados bajo el botón establece el largo de la patita y después de varias puntadas puedes retirar los alfileres y enrollar hilo alrededor del hilo con que está sujeto el botón. Termina con una hilera de puntadas de ojal para darle mayor fuerza.

Cómo coser un ojal de presilla

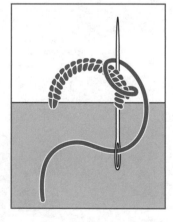

Las presillas son una buena alternativa para cerrar prendas de ropa y bolsas. Cóselas en el borde de un lado de la tela de modo que concuerden con un botón en el otro lado. Refuerza el hilo con puntadas adicionales, verifica el tamaño y vuelve a coser con puntada de ojal hasta llegar al otro extremo. Hazlo una y otra vez antes de sujetar la presilla a la tela de modo que los hilos permanezcan juntos.

CÓMO COSER UN OJAL A MANO

Cuando sepas cuántos botones vas a usar, debes decidir si los ojales van a ser verticales u horizontales, y a qué distancia van a estar del borde de la tela. Eso depende de la dirección de la tensión que soportarán los botones. Si no hay tensión, los ojales pueden hacerse verticales pues el botón no necesitará moverse en absoluto.

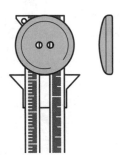

El ojal terminado no debe tener más de 3 mm de largo que el botón en sí, pero tendrás que hacer un corte inicial en la tela. La regla general sería considerar el ancho del botón y su grosor, más 3 mm para tener amplitud. Haz una prueba en un trozo de tela que no vayas a usar para otra cosa, marca el tamaño con un alfiler en cada extremo y traza una línea de un alfiler al otro. Usando tijeras de bordar que tengan mucho filo, o tijeras para cortar costuras, penetra la tela en la línea media y haz un corte.

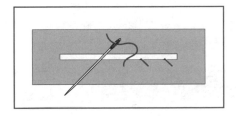

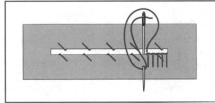

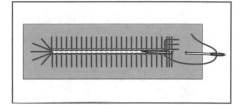

1 Haz puntadas a lo largo de la orilla para evitar que se deshilache. Haz de cuatro a seis puntadas en cada lado del ojal. Deben medir aproximadamente 3 mm.

2 Mantén el ojal tan plano como sea posible mientras lo coses. La puntada de ojal es como la puntada de festón (página 18) pero las puntadas van mucho más juntas. Mantenlas del mismo tamaño para que se vean mejor.

3 Este estilo de ojal se conoce como *ojal de abanico y barra*, por las formas que se dan a las puntadas en los extremos del ojal. Puedes hacer que ambos extremos sean iguales. Se dice que las "barras" son más fuertes debido a las dos o tres puntadas rectas que forman la base para las puntadas de ojal que las cubren. El "abanico" es más atractivo y consta de cinco puntadas colocadas en forma de abanico. La puntada más larga se alinea con el corte del ojal.

CÓMO UNIR MANGAS A LA SISA

Hay muchos estilos de mangas, por ejemplo, (de izquierda a derecha) manga ranglan, manga dolmán, manga plegada, manga abombada, manga con pliegue y manga sastre.

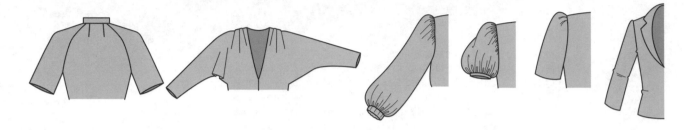

La manga se une a la prenda mediante una costura que rodea por completo la sisa. Ya sea que la manga tenga o no pliegues, unirla a la sisa exige una preparación hecha a mano, aunque el paso final se hace con una máquina de coser. El proceso empieza cuando se corta la manga, y es obvio que la parte superior de la manga es más amplia que la sisa donde se va a colocar. Sin embargo, la forma en que se corte la parte superior es lo que permite que el brazo se mueva con libertad.

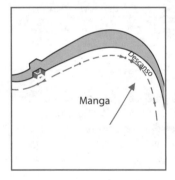

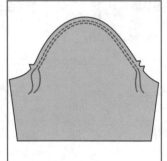

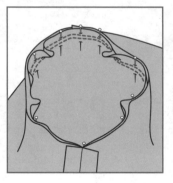

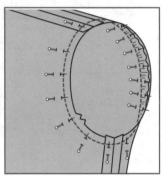

1 El patrón de la manga tiene marcas que corresponden a las marcas que tiene la sisa de la prenda de vestir a la que se unirá la manga, y también marcas que indican el tamaño de la línea de plegado dentro de la curva de la parte superior de la manga.

2 Haz una línea doble de puntadas rectas a lo largo de la línea donde irán los pliegues, dejando libres los extremos del hilo. Después, une la costura de la manga, ábrela presionándola y voltea la manga de modo que quede al derecho.

3 Une con alfileres la parte superior de la manga a la sisa antes de fruncir, jalando el hilo de modo que se ajuste a la sisa. Forma los pliegues en forma pareja y la parte superior de la manga tomará su forma. Si es una manga plegada que se eleva sobre la costura en el hombro, jala la línea exterior más que la línea interior para que la parte superior de la manga forme un arco.

4 Distribuye los pliegues en forma pareja, pero todavía no cortes el exceso de tela. Hilvana con firmeza y retira los alfileres antes de que tú o la persona que va a usar esta blusa se la pruebe. Éste es el momento en que se pueden hacer modificaciones. Una manga de sastre debe quedar muy precisa y sin pliegues en el derecho de la tela. Después de la costura final, arregla la apariencia de la sisa con una costura final o con un dobladillo.

ADORNOS: CUENTAS, LENTEJUELAS Y MOÑOS

Cuentas

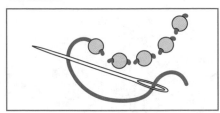 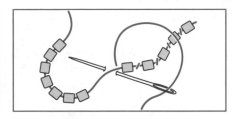 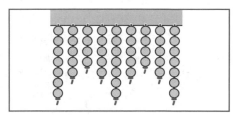

Elije el tamaño y la forma correcta de cuentas para tu diseño y trabaja con una aguja fina. Sujeta el hilo, pasa la aguja a través de una cuenta ensartándola en él hilo. Vuelve a pasar la aguja en el mismo lugar o cerca de él. Avanza una puntada en el lado opuesto y trae la aguja de regreso para que esté lista para la siguiente cuenta.

Enhebra dos agujas y sujeta ambos hilos en el revés de la tela. Haz pasar la primera aguja al otro lado y coloca el número de cuentas que desees. Con la segunda aguja, haz puntadas sobre el primer hilo pasando a través de la primera cuenta. Desliza la segunda cuenta cerca de la primera y repite estos pasos hasta que todas las cuentas estén en su lugar.

Para formar un fleco de cuentas, sujeta la primera cuenta a un hilo y hazle un nudo firme. Añade todas las cuentas que desees, sujetando el hilo con dos puntadas pequeñas en el borde de la tela antes de terminar. Comienza un hilo nuevo en la misma forma, colocándolo cerca del primero.

Lentejuelas

  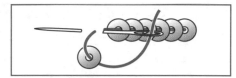

Sujeta el hilo con un nudo por el revés de la tela y pasa la aguja por el orificio de la primera lentejuela. Haz un punto atrás sobre el borde del lado derecho, saca la aguja en el borde izquierdo y haz punto atrás metiendo la aguja por el orificio de la lentejuela. Avanza con una puntada y repite la secuencia con la siguiente lentejuela.

Fija el hilo por el revés de la tela y mete la aguja por el orificio de la primera lentejuela. Añade una cuenta pequeña antes de volver a introducir la aguja por el mismo orificio. Tira del hilo con firmeza para que la cuenta quede en contacto con la lentejuela. Avanza una puntada por el revés de la tela y saca la aguja a través del orificio de la siguiente lentejuela.

Si quieres que las lentejuelas queden sobrepuestas, sujeta el hilo por el revés de la tela y saca la aguja a través del orificio de la primera lentejuela. Mete la aguja por el extremo izquierdo y vuelve a sacarla a la distancia de media lentejuela. Sujeta la segunda lentejuela y haz un punto atrás hacia la primera lentejuela. Avanza una puntada por el revés y saca de nuevo la aguja a la distancia de media lentejuela. Cada nueva lentejuela cubre el orificio de la anterior.

Moño plano

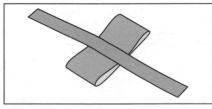 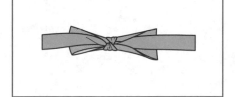 

1 Toma dos trozos de listón, uno ancho y otro angosto. Dobla suavemente el listón ancho formando un rectángulo juntando los extremos en la parte media del lado más largo. Une las tres capas de listón con una pequeña puntada de punto atrás y coloca el listón angosto formando una cruz en ángulo recto.

2 Voltea los listones y ata el listón angosto formando un nudo que haga un pliegue en el listón ancho formando un moño.

3 Voltea de nuevo los listones de modo que el moño quede al derecho. Jala los extremos del listón angosto de modo que cuelguen a los lados del listón ancho. Corta los extremos en diagonal.

PROYECTO: UN DELANTAL

Este delantal tiene una bolsa doble grande que es muy útil cuando trabajas en la cocina, en el jardín y cuando haces artesanías. Hazlo con cualquier tela pre-encogida de tejido firme como lona, mezclilla, percal o guinga.

Haz un patrón de papel trazando una rejilla con cuadros de 5 cm. Haz una escala basándote en la siguiente ilustración; se incluye un margen de 1.5 cm en todo el patrón. Corta los patrones de papel y fíjalos a la tela con alfileres; recuerda que debes colocar la pieza principal en el doblez de la tela. Corta la tela y retira el papel.

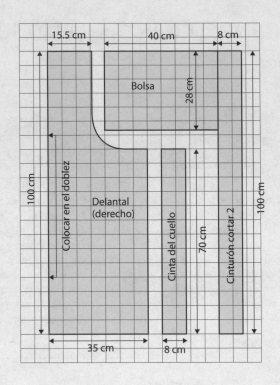

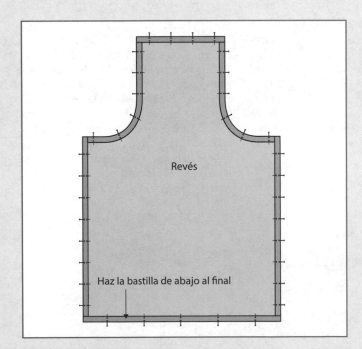

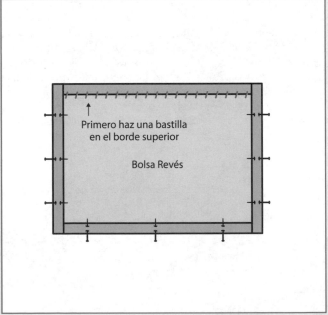

1 Haz un doblez de 1.5 cm, formando con cuidado una bastilla alrededor de la pieza principal; haz cortes en la parte curva que corresponde a la cintura para que la bastilla se doble con facilidad. Hilvana y luego cose la bastilla a máquina o hazla a mano con puntada de bastilla; debes dobladillar la parte de abajo al final. Plancha.

2 Realiza una bastilla en la parte superior de la pieza de la bolsa. Haz un solo doblez, hilvana a lo largo del margen de la costura en los otros tres lados. Plancha la bolsa. Si quieres, puedes añadir a la bolsa un diseño bordado o hecho con aplicaciones.

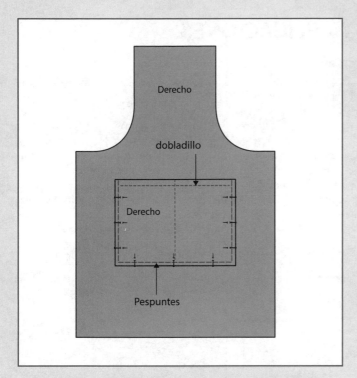

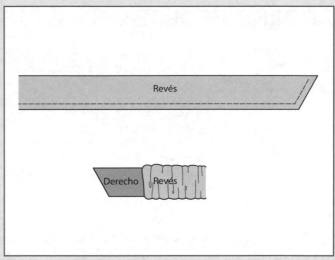

4 Dobla la cinta del cuello y las cintas del cinturón a lo largo y al derecho. Cose un extremo y haz las costuras laterales de las tres piezas, como se muestra en la ilustración. Recorta las puntas y las esquinas, voltéalos al derecho y plánchalos.

3 Fija la bolsa con alfileres en el lado derecho del delantal, al nivel de las caderas. Hilvana la bolsa y después fíjala con un pespunte. Haz un pespunte a lo largo de la línea central de la bolsa para evitar que se frunza, luego cose las orillas.

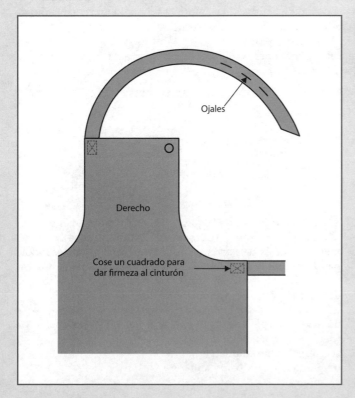

5 Para que la cinta del cuello sea ajustable haz tres ojales. Dobla las orillas hacia dentro y haz una costura a lo largo de la cinta. Únela a una esquina de la parte superior del delantal, reforzando las costuras. Pega un botón en la otra esquina. También podrías hacer el ojal en el delantal y poner tres botones en la cinta.

6 Acaba las cintas de la cintura como terminaste la cinta del cuello, pero no le pongas ojales.

ADORNOS: BORDES, PRESILLAS Y APLICACIONES

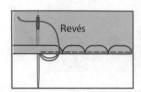

Borde aconchado – Dobla o enrolla y luego hilvana una bastilla doble. Haz un dobladillo decorativo con tres puntadas seguidas y luego con un lazo vertical sobre el borde. Tira del hilo con fuerza para formar curvas aconchadas. Si es necesario, haz dos puntadas verticales, dependiendo del grosor de la tela.

Borde con encaje – Haz un doblez delgado e hilvánalo. Luego fija con alfileres un trozo de encaje detrás del doblez e hilvánalo. Cose las tres capas de tela juntas con puntadas simples o con punto atrás. También puedes coserlo a máquina con puntadas rectas.

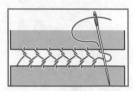

Puntada para unir dos bordes – Coloca el encaje paralelo a la tela e hilvánalos a un trozo de papel que sirva como respaldo. Pasa la aguja por el borde inferior y métela al borde superior de atrás hacia delante y ligeramente hacia la derecha. Gira la aguja por debajo y por encima del hilo a lo largo del espacio, luego introdúcela en el borde inferior de atrás hacia delante y ligeramente hacia la derecha. Repite el procedimiento hasta llegar al final, retira el papel.

Presillas

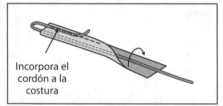

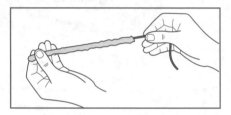

1 La presilla se forma con tiras de bies (p. 24). Se usa para hacer correas delgadas, diseños que se cosen en las solapas y en los corpiños, y para hacer adornos con un centro de alambre que se colocan en los sombreros o en los tocados de las novias.

2 Dobla las tiras de bies juntando el derecho de la tela y cóselas con el ancho que se requiera. Extiende ligeramente la tela a medida que trabajas para que después no cause tensión en el hilo. Incluye un trozo de cordón delgado, más largo que el tubo, en la parte superior de la costura y empuja el extremo libre al interior del bies. Cierra toda la costura.

3 Corta, dejando un margen de 3 a 6 mm en la costura. Jala el cordón para voltear el tubo de modo que la tela quede al derecho. Jala lentamente al principio hasta que sientas que la tela se está deslizando.

Aplicaciones

1 Una aplicación es un trozo de tela que se recorta y se une a una base, haciendo puntadas en los bordes. Se usan en vestidos y en artículos decorativos del hogar, en especial en las colchas. Primero se cortan las piezas dejando un margen pequeño para bastillas. Haz cortes tipo cuña si es necesario (pág. 19) y sujeta la aplicación con alfileres o hilvanándola a la tela base; usa líneas guía si es necesario.

2 Con una aguja delgada que pueda deslizarse suavemente a través de varias capas de tela, cose alrededor de las piezas, volteando los bordes a medida que avanzas; usa una puntada de dobladillo (pág. 21) o punto de festón (pág. 18). La máquina de coser ofrece una amplia gama de puntadas para hacer aplicaciones.

3 Cuando termines retira el hilván. Plancha la aplicación suavemente, colocándolo boca abajo sobre una superficie acolchonada, como una toalla, de modo que los márgenes de las costuras no se noten al ver la aplicación de frente.

TERCERA PARTE

MÉTODOS Y TÉCNICAS PARA USAR LA MÁQUINA DE COSER

CÓMO ENHEBRAR LA MÁQUINA DE COSER

Las máquinas más modernas tienen discos de tensión, guías para el hilo y una palanca en el interior de su estructura, lo que elimina varios de los pasos que deben seguirse al enhebrar una aguja en modelos más antiguos. Incluimos ambos procedimientos pues muchas máquinas antiguas siguen en uso (ver también las páginas 10-11). Si es posible, consulta el manual del fabricante, pero éstas son las instrucciones generales para preparar el hilo que va en la parte superior de una máquina de coser.

1 Sube el pie prensatela para liberar los discos de tensión y permitir que el hilo pase con facilidad.

2 Eleva la aguja tanto como sea posible girando la rueda de equilibrio.

3 Coloca el carrete de hilo en el eje del carrete e introduce el extremo del hilo en la guía para el hilo.

4 En las máquinas de estilo más moderno, pasa el hilo alrededor del canal de tensión y bájalo hacia la guía para el hilo que está justo encima de la aguja. En otros modelos, pasa el hilo alrededor del dial de tensión y llévalo hacia arriba a través del cable de tensión.

5 Los modelos antiguos también cuentan con una prominente palanca. Pasa el hilo a través de esta palanca y luego bájalo a la guía que está justo arriba de la aguja.

6 Ahora enhebra la aguja. Debes saber que en algunas máquinas la aguja se enhebra de atrás hacia delante y en otras de adelante hacia atrás. Busca una muesca sobre el ojo de la aguja por donde pasa el hilo cuando coses. Finalmente, saca una cantidad suficiente de hilo antes de empezar a trabajar, aproximadamente 15 cm.

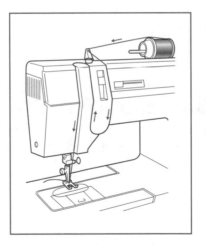

Estilo nuevo

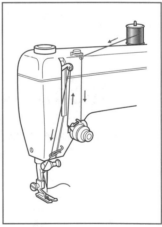

Estilo antiguo

Es probable que el enhebrar incorrectamente la aguja, más que ningún otro factor, sea responsable de la mayoría de los problemas que tienen los principiantes. Si no tienes un manual de instrucciones, busca el modelo de máquina que tienes en Internet, donde podrás encontrar una amplia gama de manuales.

LA BOBINA

La bobina contiene el hilo inferior en una máquina de coser. Está cerca de la placa de la aguja en un compartimiento que tiene una tapa que se desliza. La tensión del hilo inferior se controla mediante un tornillito que regula el resorte del porta bobina. Algunas bobinas se mueven en el sentido de las manecillas del reloj y otras en el sentido contrario; de nuevo, *consulta el manual del fabricante.*

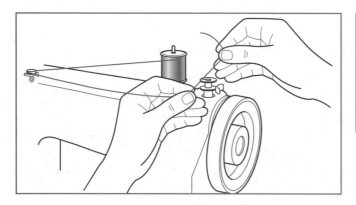

La bobina se llena automáticamente desde una bobinadora que tiene la máquina, la cual garantiza que el hilo se embobina parejo bajo tensión. Algunas bobinas pueden llenarse estando en su lugar, bajo la placa de la aguja.

Este tipo de bobina está en posición vertical en el porta bobina y se libera mediante un pestillo. Cuando se remplaza, el hilo debe quedar debajo del resorte con un extremo libre de 10 cm.

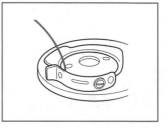

El tipo de bobina "que se deja caer" tiene una posición horizontal debajo de la tapa. Hay una ranura en ángulo a través de la cual pasa el hilo que viene de la bobina.

LA IMPORTANCIA DE LA TENSIÓN

La puntada de la máquina se forma con los hilos de arriba y de abajo que se entretejen en la tela.

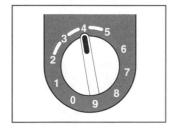

1 Un dial de tensión controla la tensión del hilo superior; está numerado del 0 al 9. El hilo pasa entre dos o tres discos que están detrás del dial y que se ajustan de acuerdo al dial.

2 Se considera que una tensión entre 4 y 5 del dial es una tensión "normal". Los hilos se encuentran en el centro de la tela y las puntadas se ven iguales en ambos lados.

3 Debajo de 4, los discos que controlan la tensión se aflojan y el hilo superior avanza con mayor libertad. Así, el hilo puede pasar a través de dos capas de tela. Esto sólo es deseable si quieres crear pliegues jalando el hilo de abajo.

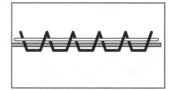

4 Por encima de 5, los discos se juntan con más fuerza y ocurre lo opuesto.

CÓMO LOCALIZAR Y RESOLVER PROBLEMAS

PROBLEMA	RAZÓN	REMEDIO
La máquina no cose	El interruptor de electricidad está apagado	Encender el interruptor
	El carrete de la bobina está trabado	Desatorar el carrete
La tela no se mueve	No se ha bajado el pie prensatela	Bajar el pie prensatela
La máquina se salta puntadas	La máquina no se enhebró correctamente	Volver a enhebrar la aguja
	La aguja se despuntó o está floja	Cambiar la aguja y apretarla
La aguja se desenhebra	La aguja está en posición errónea	Colocar correctamente la aguja
La aguja se rompe	La aguja está doblada	Cambiar la aguja. Elevar la aguja al sacar la tela
Las puntadas son irregulares	El tamaño de la aguja no es correcto para el hilo y la tela	Usar la aguja apropiada
	La máquina no se enhebró correctamente	Volver a enhebrar correctamente
	La tensión del hilo superior es muy floja	Ajustar la tensión
	Se está jalando o empujando la tela contra la máquina	Guiar la tela suavemente al hacerla pasar por la máquina
Las costuras se fruncen	Hay demasiada tensión o la aguja está en posición incorrecta	Aflojar la tensión superior o colocar la aguja correctamente
Se rompe el hilo	Hay demasiada tensión o la aguja está en posición incorrecta	Aflojar la tensión superior o colocar la aguja correctamente
La tela se desgarra	La aguja está doblada o despuntada	Cambiar la aguja
El hilo se amontona	El hilo superior no se está llevando hacia abajo	Mover ambos hilos hacia atrás bajo el pie prensatela antes de empezar una costura aproximadamente 10 centímetros y sostenerlo así hasta que se formen varias puntadas
Se rompe el hilo de la bobina	El hilo no está colocado correctamente en el porta bobina	Verificar que la bobina esté rotando en la dirección correcta
Se acumulan hebras o pelusa en el porta bobina o en el gancho		Quitar las hebras o la pelusa
El hilo de la bobina se enreda	El hilo está demasiado flojo o la bobina se introdujo mal	No llenar la bobina a mano. Verificar que la bobina saque el hilo en la dirección correcta

EL LARGO DE LA PUNTADA

El largo de la puntada se mide en milímetros del 1 al 6, y se controla mediante un dial o una palanca (págs. 10 – 11). Esto activa a los alimentadores, que a su vez mueven la tela a la distancia requerida bajo la presión del pie prensatela (pág. 12).

Usa las puntadas más largas (de 4 a 6 mm) en telas pesadas, cuando hagas una hilera de puntadas cerca del borde por el derecho, cuando quieras plegar la costura. Las puntadas medianas (de 2.5 a 4 mm) son adecuadas para telas de peso medio. Para las telas finas se usan puntadas de 2 mm. Es difícil deshacer una hilera de puntadas de 1 mm, así que vale la pena estar seguro de lo que se está haciendo, cuando se utilicen.

ANCHO DE LA PUNTADA

El ancho de la puntada no se aplica a la costura recta. El control del ancho (págs. 10-11) establece el movimiento de la aguja cuando se trabaja en zigzag o con otras puntadas decorativas. También en este caso, la medida en milímetros normalmente llega hasta 6 mm.

CÓMO COSER A MÁQUINA TELAS ESPECIALES

Hay varias telas que tienen requisitos especiales, principalmente en lo que concierne a la aguja.

Telas finas o transparentes como el voile, el organdí, la batista o el chiffon se ven mejor con puntadas francesas que no dañen su apariencia delicada. En primer lugar, retira el orillo para evitar que se frunza. El mayor problema es que estas telas son difíciles de manejar porque son muy delgadas y sedosas.

La práctica te ayudará; toma un trozo y haz una costura usando una aguja adecuada (nueva) y el hilo apropiado. El tamaño de aguja que se recomienda es el de 60-75, con hilo de algodón o poliéster y con puntadas de 1.5 a 2 milímetros. Una placa de la aguja que tenga un sólo orificio puede ayudar a estabilizar la superficie de la tela cuando la aguja la perfora. También puedes intentar coser con un trozo de papel tisú debajo de la tela.

La mezclilla tiene una apariencia burda en la prenda de vestir, pero se deshilacha fácilmente y, como las telas sedosas, requiere puntadas francesas. Usa una aguja 75-90.

Terciopelos; debido al pelo, pueden ser tan difíciles de manejar como las telas finas y transparentes. Además, las puntadas dejan marcas en el terciopelo. Las costuras deben ser cortas, tipo hilván, añadiendo de vez en cuando un punto atrás. Si se cose a máquina, el terciopelo requiere puntadas de 2 a 2.5 milímetros de largo con poca tensión y con una aguja 75-90. En este caso, también debes practicar con trozos de tela. Si las

capas de terciopelo se mueven, hilvánalas y fíjalas con alfileres a lo largo del margen de las costuras antes de empezar. Al coser, sostén la capa inferior con firmeza sin afectar la aguja. Retira los alfileres a medida que avances.

Tejidos; hay que manejarlos con cuidado al coserlos a máquina, pues es muy fácil estirarlos y deformarlos. Trabaja con lentitud y recuerda que las costuras necesitan ser flexibles siguiendo el movimiento del material de jersey. Cambia la aguja regular por una de 75-90 de punto redondo que no rompa las fibras al coserlas. Si tu máquina cuenta con una puntada elástica, utilízala; o usa la puntada para tricot.

Otra opción sería usar zigzag en el ajuste más angosto. Los materiales tejidos no se deshacen, así que no es necesario darle un acabado a las costuras. Sin embargo, tal vez sientas que algunas costuras, por ejemplo en los hombros y en la cintura, podrían quedar mejor si se les pone una cinta (pág. 24).

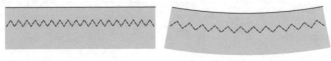

Costura elástica   Costura extendida con el uso

CÓMO HACER COSTURAS OCULTAS

La secuencia para hacer una costura francesa a máquina es la misma que se usa para hacerla a mano (pág. 19).

La costura falsa sobrecosida y plana

Éste es otro tipo de costura oculta que se usa ampliamente en ropa casual y de uso rudo, en faldas, pantalones, ropa de mezclilla y bolsas de tala. Es totalmente reversible y tiene dos hileras de costuras visibles en cada lado.

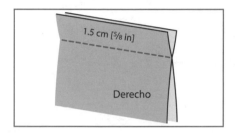

1 Fija con alfileres los dos lados al revés de la tela con un margen de 1.5 centímetros para la bastilla.

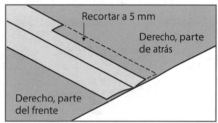

2 Plancha las costuras de modo que queden abiertas y recorta un lado del margen a 5 milímetros.

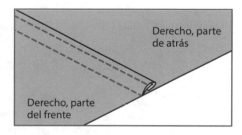

3 Dobla a la mitad el margen que no está cortado, plánchalo y dóblalo para ocultar el borde que cortaste antes. Fija con alfileres, hilvana y cose a máquina a lo largo del doblez.

ACABADOS EN LAS COSTURAS HECHAS A MÁQUINA

La secuencia para coser un bies a máquina es la misma que se usa para coserlo a mano (pág. 24), excepto que la puntada final (paso 3) puede remplazarse con puntadas a máquina. Éstas son otras soluciones para el acabado.

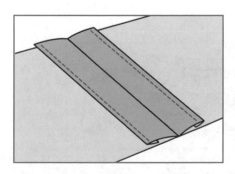

Borde cosido – Haz puntadas de 3 a 6 milímetros a lo largo del borde a cada lado. Dobla en la línea de la costura para cerrar el borde del doblez.

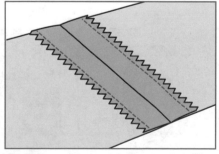

Costura y corte en zigzag – Éste es un acabado para telas de tejido cerrado para evitar que se enrosquen. Haz puntadas de 6 milímetros cerca del margen de cada costura. Recorta cerca de la costura con tijeras dentadas.

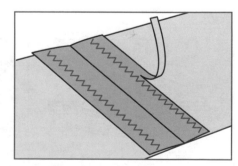

Costura en zigzag y corte – Haz una costura en zigzag a lo largo del borde de cada margen con las puntadas más anchas, pero no cosas sobre el borde. Recorta cerca de las costuras con tijeras.

CÓMO HACER PINZAS

Las pinzas dan forma a una tela plana y hacen posible que quede bien sobre contornos curvos, por ejemplo en un vestido o en un sillón. Se marcan con puntitos en un molde de papel y se transfieren a la tela cuando se corta, usando un marcador de telas o gis (tiza) para sastres.

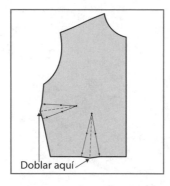

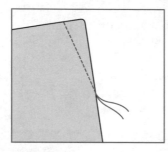

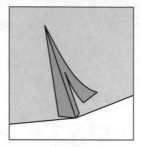

Doblar aquí

1 Junta las marcas de puntos doblando la tela por el centro. Verás que la línea de las puntadas formará un triángulo.

2 Fija la pinza con alfileres, hilvánala y cósela a máquina hasta tener un punto definido, cosiendo más allá del borde de la tela. Eleva el pie prensatela y corta los hilos, dejándolos suficientemente largos para terminar la costura a mano.

3 Las pinzas que se hacen en telas ligeras por lo general no necesitan cortarse. Simplemente se plancha el borde doblado de la pinza hacia un lado sin doblar la tela principal. Las pinzas que se hacen en telas gruesas deben abrirse en el doblez y cortarse antes de plancharse.

ENTRETELAS CON FORMA

Las entretelas se usan para dar un buen acabado a los bordes de los cuellos y sisas, y se cortan con la misma forma, y lo que es más importante, siguiendo la misma trama de la prenda. Se les puede dar mayor firmeza con un forro adicional si es necesario; se cosen o se planchan a lo largo del borde de la entretela con tijeras dentadas antes de unirse a la prenda.

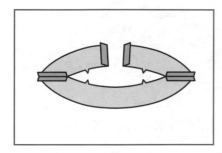

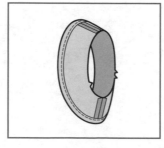

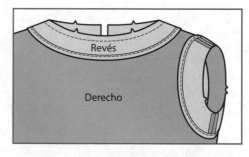

Revés

Derecho

1 Entretela para un cuello; muestra las uniones entre las secciones de enfrente y de atrás, y los extremos se doblan hacia atrás donde deben unirse a la pieza principal.

2 Entretela para la sisa preparada con costuras en el borde.

3 Las entretelas se unen a la prenda principal, están listas para las costuras curvas (pág. 19) y para voltearse al derecho.

CÓMO INSERTAR UN ZÍPER

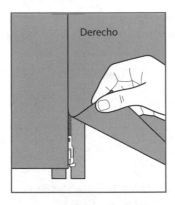

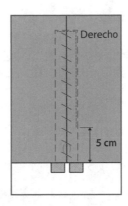

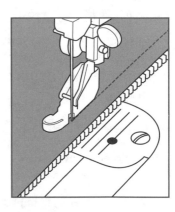

1 Coloca el zíper en la costura estando cerrado. Los bordes de la tela deben encontrarse en el centro y ocultar los dientes del zíper.

2 Hilvana alrededor del zíper con los extremos de la cinta hacia abajo. Hilvana también alrededor de la línea de la costura, pasando aproximadamente a 2.5 cm del final de la parte superior del zíper para mantenerlo en línea recta.

3 Haz un pespunte alrededor del zíper usando el pie para zípers para coser cerca del borde de la apertura. Detente a 5 cm de la parte superior del zíper por el otro lado y, retirando los hilvanes, desliza la parte superior del zíper hacia abajo para terminar de coser por ambos lados de la parte superior.

PESPUNTES

Pueden usarse pespuntes con propósitos puramente decorativos y con frecuencia se hacen con un hilo que tenga un color que marque un contraste alrededor de las solapas y los bolsillos. Usa una puntada más larga que la que usarías para una costura común.

CÓMO HACER OJALES CON LA MÁQUINA DE COSER

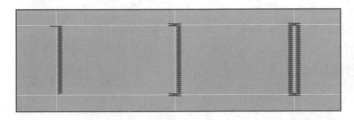

2 Corta el centro del ojal con tijeras de bordado o con un descosedor; abre el ojal con cuidado de un extremo a otro sin cortar las barras.

1 Marca la posición donde quedará el ojal con un marcador de telas o con gis (tiza) para sastres. Usa un pie prensatelas zigzag, usa el selector de puntadas y haz varias puntadas para formar la "barra" del ojal antes de bajar por el primer lado. Haz la segunda barra en la parte inferior y luego mueve la tela 180 grados para completar el otro lado.

PLISADOS

Los plisados son muy parecidos a los frunces nido de abeja, pero sin el bordado. Son ideales para ropa de dormir y ropa de playa. El elástico para plisados se fabrica especialmente para usarse en la máquina de coser y es más fácil aplicarlo que coser un elástico plano. Como en todas las técnicas que intentas por primera vez, es aconsejable practicarla en un trozo de tela antes de usarla en la tela principal.

1 Llena la bobina a mano con elástico para plisados y colócalo en tu máquina de coser como acostumbras hacerlo. Ajusta la tensión del hilo en 4 y cambia de la puntada recta a la puntada zigzag más larga y ancha que te permita la máquina.

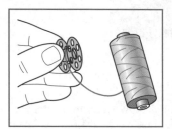

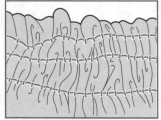

2 Necesitarás completar tres o cuatro hileras antes de lograr el efecto de los frunces nido de abeja. Esta ilustración muestra el revés de la tela.

3 Y éste es el derecho. El plisado puede hacerse en telas lisas o estampadas.

CÓMO HACER RIBETES

Los ribetes dan un acabado externo elegante en la ropa y en los accesorios del hogar. El cordón que se use debe estar pre-encogido; verifícalo al comprarlo. Hay cordones de diferentes anchos, y debes elegir el que sea adecuado para la tela que vas a usar. Un ribete tiene que ser flexible y doblarse en las esquinas para quedar dentro de las tiras del bies.

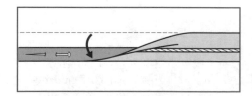

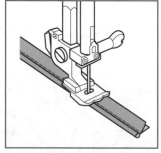

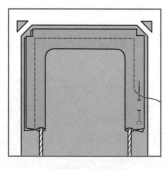

1 Coloca alfileres en la tela e hilvana, dejando un margen en la costura.

2 Para tener los mejores resultados, usa un pie prensatela especial para ribetes, aunque un pie para zípers también funciona bien. Haz las puntadas tan cerca del cordón como sea posible. Puedes producir una tira larga de ribete que después se puede cortar y usar como sea necesario.

3 Otra alternativa es fijar el ribete con alfileres e hilvanarlo dándole forma antes de coserlo con la máquina. Si las vueltas son gruesas, trabájalas por capas y corta el exceso de material para que se doble bien en las esquinas.

PROYECTO: UN BURLETE EN FORMA DE PERRO SALCHICHA

Un perrito fiel con orejas caídas que te protegerá de los chiflones; puede ponerse frente a cualquier puerta, ajustando la longitud entre la cabeza y la cola.

Un burlete es una tira textil o de otro material flexible que se coloca en el canto de las hojas de puertas, balcones o ventanas para que cierren herméticamente. Cualquier tipo de tela es adecuada, incluyendo los tejidos. Haz un patrón de papel dibujando una rejilla con cuadros de 9 cm. Dibuja las piezas usando una escala, cuadro por cuadro, basándote en el esquema que aparece a continuación. Corta los moldes de papel y fíjalos con alfileres a la tela. Fíjate qué piezas deben colocarse en el doblez. *Cuando cortes la tela añade 12 mm para los márgenes de las costuras alrededor de toda la pieza.*

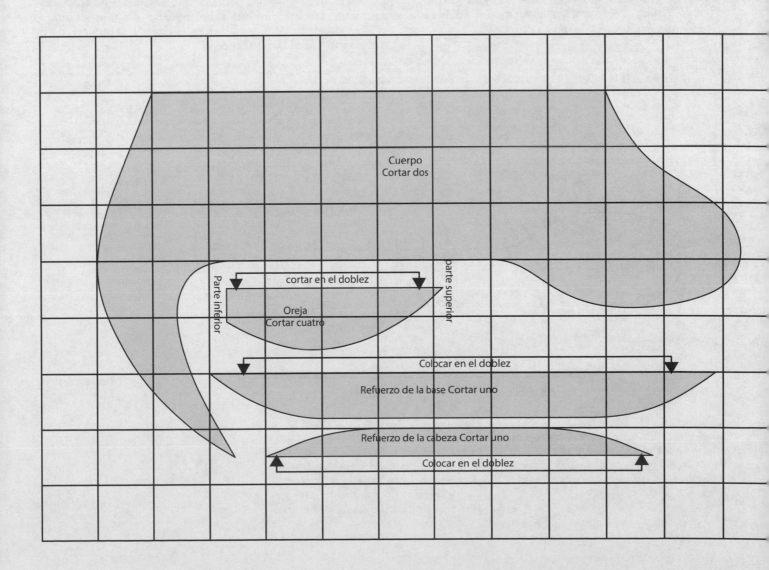

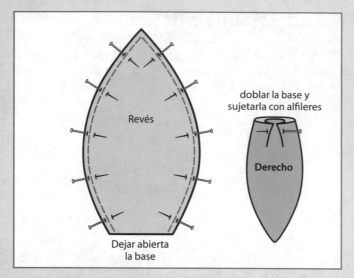

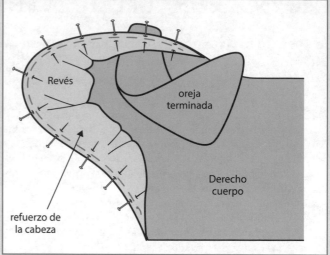

1 Para hacer las orejas, sujeta con alfileres cada par de orejas al derecho de la tela y cose alrededor, excepto en la base. Voltea la pieza al derecho. Dobla, sujeta con alfileres e hilvana haciendo un pliegue pequeño en cada oreja.

2 En el lado derecho de una mitad del cuerpo, sujeta con alfileres e hilvana firmemente el refuerzo de la cabeza como se ve en la ilustración, cosiendo una de las orejas terminadas entre las dos capas de tela. Repite con la otra mitad del cuerpo y con la segunda oreja.

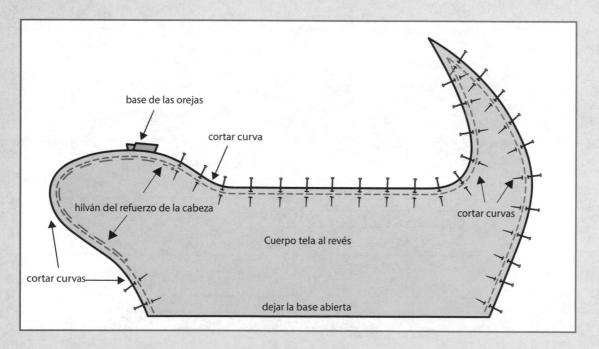

3 Por el derecho del refuerzo, con las orejas lejos de la aguja, cose a máquina cada mitad de la cabeza del perro, al lado del refuerzo de la cabeza correspondiente.

4 Cose a máquina el resto de las mitades del cuerpo, uniéndolas desde la barba hasta la base y desde el cuello hasta la punta de la cola, y luego bajando por el otro lado. Deja la base abierta. Corta las curvas preparándote para voltear el cuerpo. Retira todos los hilvanes.

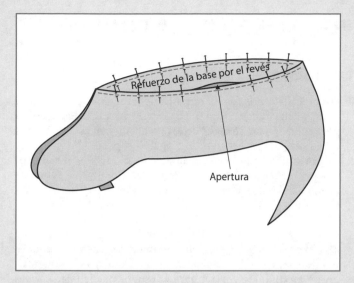

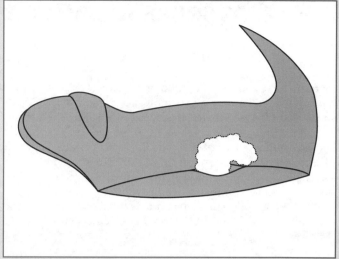

5 Teniendo el cuerpo todavía por el revés. Coloca el refuerzo de la base como se muestra en la ilustración. Cose con la máquina alrededor de ambos lados del cuerpo, dejando una apertura de 10 a 12 cm para rellenar al perro.

6 Voltea el perro al derecho y usa una aguja para tejer para voltear la cola hasta formar un punto fino. Rellena la cabeza y el cuerpo con tanta firmeza como puedas con relleno de poliéster para juguetes. Podrías necesitar bastante, dependiendo del largo del perro.

7 Cierra las orillas de la apertura y haz una segunda costura.

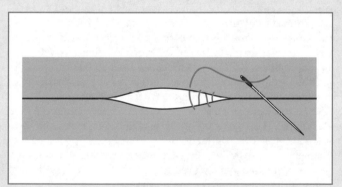

8 Usa botones, aplicaciones de fieltro o bordados para hacer los ojos, la nariz y la boca del perro, dándole una personalidad única. Ponle un collar o un moño en el cuello como toque final.

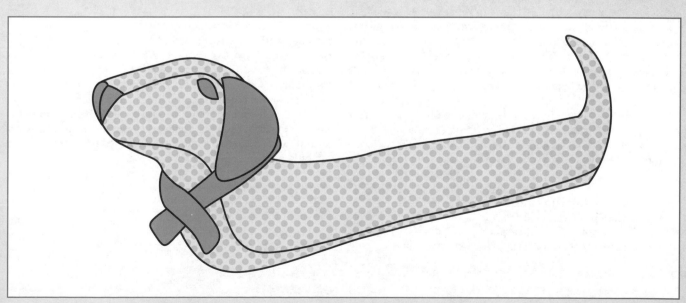

CONSEJOS SOBRE EL LAVADO Y EL CUIDADO DE LA ROPA

LAVADO

Siempre debes buscar los símbolos relacionados con el lavado del material en las telas que compres; la etiqueta del fabricante sobre el cuidado del material aparece en el rollo de tela en sí y también debes pedirle al vendedor (o vendedora) una etiqueta sobre el cuidado del material para llevártela con tu compra. Es útil conservarla como parte de un registro sobre tu trabajo. Otros puntos de referencia son los manuales de tu propia lavadora y secadora. Contienen detalles sobre todos los programas de lavado y secado, e indican cómo se relacionan estos programas con los símbolos estándar del cuidado que debe darse a las telas.

Si es posible, encárgate de las manchas de inmediato. No talles el área afectada con demasiada fuerza porque la fricción puede dañar las fibras y dejar un lamparón muy obvio. Las marcas causadas por aceite deben limpiarse por el revés de la tela con un solvente adecuado; sigue las instrucciones del fabricante.

Ya sea que utilices la lavadora o que laves a mano, no uses detergente en polvo en telas con un alto contenido de lana o de seda. Lávalos con jabón en escamas o con jabón líquido para telas delicadas. Los agentes limpiadores de los jabones líquidos están diseñados para usarse a temperaturas bajas y no dejan depósitos. Pon a prueba la fijación de color o la calidad desteñible de las telas de color fuerte (en especial las de tonos rojos), y si tienes dudas, lávalas aparte. Las telas que contienen cualquier tipo de lana siempre deben enjuagarse con agua tibia. Usa la configuración adecuada en tu lavadora para el lavado de telas de lana, no el programa de baja temperatura, ni el programa de lavado a mano que enjuaga con agua fría.

Las secadoras contribuyen mucho a que la ropa encoja accidentalmente, y hay telas que es mejor dejar que se sequen sin calor. La ropa de lana debe sacarse de la lavadora y enrollarse en una toalla para eliminar el exceso de agua. Los tejidos, como el jersey, deben dejarse secar colocándolos planos sobre una base. No los cuelgues porque pierden su forma a medida que la humedad va bajando por el material tejido.

Plancha las telas siguiendo las recomendaciones relacionadas con el grado de calor necesario. Ten mucho cuidado con los adornos de la ropa. Los encajes de nylon, los hilos metálicos y las lentejuelas de plástico se arrugan al contacto con la plancha caliente.

Cuando planches al vapor con una tela, es importante levantar y bajar la plancha en dirección vertical y evitar deslizarla sobre la tela. Utiliza una tabla chica para planchar mangas, o una almohadilla firme y curva para planchar áreas curvas y contornos.

CUIDADO

Después de todos tus esfuerzos, vale la pena invertir en ganchos de alta calidad para la ropa que haces. Coloca presillas para colgar en las costuras de los hombros y en la cintura para asegurarte de que las prendas tengan el soporte adecuado y no caigan con dobleces que las distorsionen. Los vestidos de noche y otras telas delicadas deben colgarse dentro de cubiertas protectoras para que no toquen el suelo y no se les toque demasiado.

Cuando guardes prendas de vestir y ropa de cama, la regla de oro es guardarlas limpias, absolutamente secas y sin almidonar (hay insectos, como el pececillo de plata, que se alimentan de almidón). El polvo, la mugre y el sudor pueden dañar y decolorar todo tipo de fibras, sean sintéticas o naturales, y la polilla y los hongos aparecen en la ropa sucia.

Las telas finas como las que se usan en ropones para bautizos o en vestidos de novia, deben lavarse o mandarse a la tintorería, luego deben forrarse bien con papel tisú libre de ácido y guardarse en bolsas de algodón cerradas con zíper. Las cortinas, fundas y colchas deben doblarse con cuidado y protegerse en baúles, en armarios o dentro de cubiertas cerradas con zíper o en cajas de plástico si se van a quedar guardadas durante mucho tiempo. Sácalas y sacúdelas de vez en cuando y vuelve a doblarlas en forma diferente; esto evita que se marquen los dobleces en forma permanente.

Para evitar el riesgo de mohos, nunca guardes las telas en lugares mal ventilados o húmedos como los desvanes, sótanos o en alacenas que rara vez se abren. Los calentadores y deshumidificadores pueden ayudar a reducir los problemas causados por la humedad y la condensación de vapores.

Evita la presencia de polillas. Tienen un ciclo de vida de aproximadamente seis semanas y sus larvas producen orificios destructivos en las cosas. Hoy en día hay artículos con olores agradables que pueden usarse en lugar de las bolas de alcanfor o naftalina, como los bloques de madera de cedro y las bolsitas de lavanda, pero deben reemplazarse de vez en cuando. Las polillas no sólo ponen sus huevos en las fibras de lana, también pueden dañar la seda, las pieles o las plumas. Es prudente revisar de vez en cuando los lugares donde guardas tu ropa para evitar la presencia de polillas.

TÉRMINOS RELACIONADOS CON LA COSTURA

Accesorios: Artículos como hilo, broches de presión, cintas y adornos.

Aplicación: Técnica de coser una tela sobre otra.

Bastilla: Doblez que se hace en los bordes de una tela y que se cose superficialmente para evitar que el tejido se deshilache.

Bies: Trozo de tela cortado en sesgo respecto al hilo que se aplica a los bordes de prendas de vestir.

Broche de presión: Objeto de metal o de otro material duro que tiene dos piezas, una de las cuales engancha o encaja en la otra.

Calicó: Tela de algodón con tejido suelto que al natural tiene color crema.

Costura (unión): Serie de puntadas que une dos piezas cosidas.

Costura invisible: Puntadas en dobladillos que unen una orilla doblada y son virtualmente invisibles.

Entretela: Tejido que se pone entre la tela y el forro de una prenda de vestir para reforzarla o darle consistencia.

Fibra: La dirección que tienen los hilos de la trama y la urdimbre. La urdimbre es vertical, corre paralela al orillo. La trama es horizontal y corre en ángulo recto al orillo.

Forro: Tela ligera (con frecuencia tafeta o satín) que se cose en el interior de una prenda para ocultar las costuras. Los forros también se usan en ropa hecha con tela transparente.

Frunces: Pequeños dobleces que se hacen jalando una hilera de puntadas. Se usan para formar volantes u olanes.

Hilvanes: Puntadas temporales que se hacen con puntadas rectas de aproximadamente 1.5 centímetros de largo.

Margen de la costura: Distancia entre el borde de la tela y la línea de costura.

Muesca: Corte que se hace como señal.

Muselina: Tela de algodón, seda, lana, etc , fina y poco tupida.

Orillo: Extremo de una pieza de tela que suele tener distinto aspecto que el resto.

Petersham: Cinta (similar al tarlatán) que se usa para dar firmeza a los cinturones y en la confección de sombreros.

Pinza: Pliegue de una tela terminado en punta, que sirve para estrecharla o como adorno.

Pre-encogido: Tela sujeta a un proceso para encoger durante su fabricación.

Presilla: Cordón pequeño en forma de anilla que sirve para prender o asegurar un botón, corchete, etcétera.

Pretina: Tubo diseñado para introducir en él un elástico, cordón, listón, etcétera.

Ribete: Cinta o tira de tela o piel con que se adorna y refuerza la orilla del vestido y el calzado.

Sesgado: Línea diagonal entre la trama de la tela. Un sesgado "real" es a 45 grados del orillo.

Sisa: Abertura hecha en la tela de las prendas de vestir para que ajusten bien al cuerpo, en especial la que se hace para coser las mangas.

Sobrecostura: Una hilera extra de puntadas (normalmente decorativas) que concuerdan o marcan un contraste con la prenda y se hace cerca del borde ya terminado.

Tabla: Doble pliegue ancho y plano de una tela o prenda que deja un exterior liso entre los dobleces.

Tela fusible: Material sintético que se une a la tela cuando se funde con el calor de una plancha.

Trama: Hilo horizontal, corre en ángulo recto al orillo.

Urdimbre: Hilo vertical, corre paralela al orillo.

Vello: Textura o diseño en el terciopelo que tiene una sola dirección y afecta la forma en que se cortan los diseños.

TÍTULOS DE ESTA COLECCIÓN

Bordado

Costura

Decoración con cuentas

El arte de la costura para principiantes

Juguetes suaves

Patchwork

Punto de cruz

Tejido y ganchillo

Me encanta... tejer con ganchillo

Me encanta... tejer con agujas